Чингиз Абдуллаев

Город заблудших душ

— Вы напрасно так упорствуете,— сказал лейтенант,— они вас не пощадят.
— Ты не понял,— улыбнулся Сангеев,— это как раз тот случай, когда я точно не буду просить пощады... Город трусов. Это клеймо навеки останется на нас. Кто-то должен встать на пути бандитов. Почему не я?

ЭКСМО

МОСКВА

2010

УДК 82-3
ББК 84(2Рос-Рус)6-4
А 13

Оформление серии *А. Саукова*

Абдуллаев Ч. А.

А 13   Город заблудших душ : роман / Чингиз Абдуллаев. — М. :
Эксмо, 2010. — 384 с. — (Современный русский шпионский
роман).

ISBN 978-5-699-43140-3

Мирная жизнь маленького кавказского городка оборвалась внезапно: с
гор спустилась банда головорезов. Жители оказались беззащитны перед жес-
точайшим беспределом: убийства, грабежи, насилие. Кто остановит боевиков? В городе всего три милиционера, но и те погрязли во взятках, воровстве и
рэкете. Вызвать помощь невозможно — телефонная связь «обрублена»...
И все же нашелся человек, который преградил путь головорезам и принялся
планомерно истреблять банду. Единственный, кто остался человеком в этом
городе заблудших душ...

УДК 82-3
ББК 84(2Рос-Рус)6-4

ISBN 978-5-699-43140-3

Город заблудших душ

Честь — это мужская стыдливость.

Али Эфенди

Не всегда в самых славных деяниях бывает видна добродетель или порочность человека, но часто какой-нибудь ничтожный поступок, даже слово или шутка лучше обнаруживают характер человека, чем даже битвы, в которых гибнут десятки тысяч людей.

Плутарх

О, плакать, плакать, плакать!
Пьяна рыданий грудь.
Загубленное счастье
Слезами не вернуть...
Такое море боли
Чья выдержит душа?
Ах, боли столь глубокой
И жгучей, и жестокой
Не видел белый свет!
Но почему же слезы из глаз сухих не льются?
Но почему же сердце в груди не разорвется?
И облегченья нет...

Ференц Кёльчеи

ПРОЛОГ

Этот город построили в большом ущелье, между высокими скалами, на окраине области. В течение многих лет он был довольно крупным поселком городского типа. В конце шестидесятых сюда даже провели газ. В семидесятые поселок разросся до размеров небольшого города и получил городской статус уже в семьдесят четвертом году. Тогда это было оживленное место — здесь проходила шоссейная дорога, ведущая в южные кавказские республики. Именно тогда сюда впервые приехала болгарская делегация, чтобы запустить сразу две линии на строящемся консервном заводе. Местная электростанция, расположенная в восьми километрах отсюда, давала достаточно энергии, чтобы спроектировать и построить здесь такое большое производство. Городской отдел милиции насчитывал двадцать два сотрудника. Город постоянно рос за счет прибывающих сюда молодых специалистов и просто людей, переезжавших в эти горные места из-за прекрасного чистого воздуха, который был так полезен астматикам и людям с заболеваниями дыхательных органов.

Все начало меняться с конца восьмидесятых. В ноябре восемьдесят девятого года начались перебои с поставками сырья на консервный завод. Сюда с юга завозили помидоры и огурцы, которые потом мариновались по болгарским рецептам. В девяностом поставки почти прекратились. На консервном заводе начали сокращать работников. В городе был не только большой завод, работающий на поставках южной продукции, но и обувной комбинат, а также небольшая фабрика по переработке шерсти. Тогда город находился далеко от границы, и никто не мог подумать, что вскоре граница окажется совсем недалеко от этого места.

Консервный завод закрылся в девяносто первом,

как только полностью прекратилась поставка помидоров и огурцов из южных республик. Затем закрылась фабрика, куда перестала поступать шерсть. Дольше всех продержался обувной комбинат, примерно до середины девяносто третьего года. Но в марте этого года на окраине города произошла вооруженная стычка между местными жителями и приезжими из западных областей. Погибших было человек сорок с обеих сторон, но незваные гости отступили и, уходя, подожгли комбинат. Было непонятно, зачем они это сделали, ведь там производили легкую пляжную обувь, которая никому не мешала. Комбинат горел два дня, распространяя вокруг удушливое зловоние.

А затем в городе стало очень тихо. Как будто люди, прятавшиеся по своим домам, решили взять паузу и обдумать свое положение, пытаясь понять, как они будут жить дальше. И на следующий день из города начали выезжать машины. Сначала грузовые, которые вывозили имущество местных жителей, а затем и легковые, которые везли самих жителей.

Все понимали, что «гости» с запада могут нагрянуть еще раз, а город, вдруг ставший прифронтовым, не смог бы защитить своих жителей. На восемь оставшихся милиционеров приходилось больше тридцати тысяч человек. Через несколько лет здесь осталось четверо милиционеров и только шесть тысяч человек. Все три работающих предприятия были закрыты, и город стремительно пустел.

Еще через несколько лет в полупустом городке, уже снова превратившемся в прежний поселок городского типа, оставалось не больше четырех тысяч жителей, в основном стариков и женщин с детьми. Некоторые уехали в соседний город на химический комбинат, в ста двадцати километрах отсюда. Уезжавшие туда немногочисленные мужчины, из тех, кому некуда было больше податься, обычно оставались там на пять дней и возвращались только в выходные, чтобы в понедельник в шесть часов утра отправиться обратно на двух битых, старых автобусах, которые зимой обычно ломались в пути, и тогда до комбината приходилось добираться на попутных машинах, не так часто появлявшихся в этих местах. Выручали военные, чьи машины иногда проходили по этой дороге.

В этом городе никогда не работали мобильные телефоны. Зажатый между двумя высокими горными склонами, он не мог завести собственную ретрансляционную станцию, и даже общедоступные телевизионные каналы часто демонстрировались здесь с некоторыми искажениями. Городские телефонные линии работали благодаря единственному кабелю, протянутому еще в шестидесятые годы. К началу XXI века в городе оставалось только три милиционера. Четвертый вышел на пенсию и уехал в Астрахань к своим детям. Вот так все и жили, пока не пришла большая беда.

ГЛАВА 1

Начальник городской милиции сидел в своем небольшом кабинете, глядя в окно. Это был грузный, широкоплечий мужчина с крупными чертами лица: немного выпученные глаза, большой нос, пухлые губы и прижатые к голове большие, словно расплющенные, уши. Он расстегнул верхнюю пуговицу рубашки, ослабил узел галстука.

Двухэтажное здание милиции когда-то было гордостью местных блюстителей порядка. Его специально построили к приезду болгарских друзей, еще в семьдесят четвертом, чтобы не показывать иностранцам бывшее здание городской милиции, находившееся в обычном бараке. Здание было построено с учетом того, что город будет расти и, по прогнозам, через двадцать пять лет его население должно было превысить пятьдесят тысяч человек. Но все получилось иначе. Через двадцать пять лет население города составляло чуть больше четырех тысяч человек. Здесь не было даже своего суда и прокуратуры, а городской отдел милиции давно превратился в обычное провинциальное отделение, в котором работали только три сотрудника.

Левую часть здания переоборудовали под почту, а второй этаж отдали под отдел социального обеспечения, оставив милиционерам только два небольших кабинета, коридор и большой изолятор временного содержания, находившийся в подвале; в нем могли разместиться сразу сорок человек. Разумеется, изолятор городского отдела милиции строился в расчете на перспективу. Но такого количества преступников здесь просто никогда не было, и камеры почти всегда пустовали.

Начальником городской милиции, как он обычно любил себя называть, был майор Ильдус Сангеев, который работал здесь всю свою жизнь. Ему было уже под пятьдесят, и он понимал, что его карьера закончится именно в этом кабинете. За четверть века он получил три звания, каждое из которых ему давали с опозданием на несколько лет. Может, поэтому он стал майором только в сорок лет и с тех пор уже не получал никаких званий, так как это было высшее звание, на которое мог рассчитывать начальник городской милиции в таком забытом месте.

У Сангеева было две дочери, каждая из которых уже успела выйти замуж, родить детей и уехать в другой город. Старшая дочь переехала в Махачкалу, где ее супруг работал в городском суде, а младшая уехала в Литву, куда перебрался ее муж, сумевший получить даже литовское гражданство и устроиться на работу в таможню. Сангеевы остались втроем в большом отцовском доме, в котором раньше жило не меньше десяти человек, — майор, его супруга и теща, которой было уже под восемьдесят. Как невесело шутил сам Ильдус Сангеев, он все время ждал, когда половину его большого дома отдадут под какие-нибудь административные нужды, разместив там поликлинику, или переведут туда его отделение. В его доме было гораздо больше свободного места и целых шесть комнат. Правда, там не было тюрьмы, но изолятор и так пустовал почти все время. Зато был погреб, в котором хранились соленья и вино.

Кроме самого майора, в отделении служили еще два сотрудника: сержант Ризван Максудов и лейтенант Альберт Орилин. Сержанту было сорок пять лет, он прослужил в милиции всю свою жизнь и собирался скоро выходить на пенсию. У него было четверо детей, старшему из которых было семнадцать, а младшему — восемь. Его супруга работала главным акушером в местной больнице и пользовалась особым уважением местного населения. Может, поэтому сержант обладал покладистым характером: он привык, что все важные вопросы решает его супруга Хатира.

Лейтенант Альберт Орилин приехал сюда только два года назад. В первые четыре месяца он честно ходил на службу, тщательно брился, патрулировал улицы, делал замечания громко кричавшим женщинам и разнимал задиристых молодых людей. А потом у него началась обычная депрессия, которая случается в подобных местах. Он начал пить, перестал бриться, стал опаздывать на работу, а однажды даже два дня не выходил на службу. Майор Сангеев приехал к дому, в котором снял себе комнату молодой сотрудник, в полдень и попросил старую хозяйку пойти на базар и не появляться в доме в течение ближайших двух часов. Что произошло между майором и лейтенантом, никто так и не узнал. Но на следующий день майор появился на службе, чуть прихрамывая, а Орилин вышел на работу с синяком, расплывшимся вокруг левого глаза. С тех пор он исправно выходил на работу; правда, брился через день или через два.

Примерно три месяца назад он сошелся с Алиной, местной женщиной, которая в одиночку воспитывала дочь. Ее муж уехал куда-то на Урал еще четыре года назад и с тех пор не писал и не появлялся в этих местах. Алина работала в небольшом магазине, кормила себя и свою дочь. Ей было далеко за тридцать, Орилину — только двадцать пять. Но они сошлись, и вскоре он переехал к ней. С тех пор лейтенант брился почти ежедневно и настроение у него значительно улучшилось.

Так они и существовали — трое сотрудников милиции на небольшой городок или поселок городского типа. Хотя официально считалось, что городской статус еще никто не отменял.

Ильдус Сангеев еще раз посмотрел на пустую улицу и вздохнул. В феврале на улицах почти не бывает людей. Здесь редко выпадает сильный снег, но пронизывающие холодные ветра буквально простреливают любого, кто осмеливается долго находиться на продуваемых улицах. Поэтому все сидят по домам или на своих рабочих местах. В городе уже давно нет ни консервного завода, ни обувного комбината, ни фабрики по переработке шерсти. Но зато есть небольшое прсдприятие по выделке кожи; работают две школы, поликлиника, библиотека, книжный магазин, в котором давно уже не было никаких новых поступлений, местная больница, почта, различные коммунальные службы, хлебокомбинат, сразу четыре бара, два ресторана, небольшой отель «Мечта», в котором почти никто и никогда не останавливался, но который исправно работал все эти годы, а также два кооператива, один из которых делал кожаные ремешки для часов, поставляемые куда-то в российские области, а второй, более крупный, занимался производством сметаны, местного кефира, называемого гатыком, творога и других молочных продуктов, благо у многих жителей еще были свои коровы, которые помогали им выживать.

Ближе к двум часам на улицах появятся десятки детей, идущих по домам. В этом городе не было принято провожать детей в школу или встречать их после занятий. Все друг друга знали, редкие машины почти никогда не нарушали Правил дорожного движения, и дети, предоставленные самим себе, спокойно ходили в школу и обратно, ничего не опасаясь. Единственным происшествием, которое произошло за последние десять лет, был случай, когда бегающий без присмотра козел легко поранил одного из мальчишек. Козла сразу приговорили к смертной казни, а мальчика отправили в больницу, откуда он вышел через три дня.

В другом конце улицы находилось здание горисполкома, как его называли в конце семидесятых. Тогда там был горком партии и горисполком, в котором работали больше ста человек. Но парткомитет закрылся в девяносто первом, а горисполком отменили уже в девяносто третьем. Мэром города выбрали уважаемого человека, бывшего первого секретаря горкома партии Магомеда Салиева, который проработал на своей должности больше десяти лет и упрямо называл себя не мэром, а председателем горисполкома. Он и умер на своем посту, в кабинете, сидя за бумагами. Ему было только шестьдесят шесть лет, и, по местным меркам, он был еще совсем не старым человеком. Его заменил Эльбрус Казиев, энергичный и инициативный заместитель Салиева, который принял руководство городом еще в позапрошлом году. Говорят, что у него были большие планы по развитию города. Но их не утвердили в области, не выделив никаких средств на развитие. Город считался депрессивным и вымирающим, поэтому руководство области не видело смысла в его развитии. К тому же он находился в очень неудобном месте. На юге шоссейная дорога через семьдесят километров обрывалась государственной границей, которая возникла здесь еще в девяносто первом, но только в девяносто девятом была значительно укреплена и четко обозначена. А на север дорога шла лишь до соседнего города. Дальше дороги просто не было, она была перекрыта гигантским оползнем, обрушившимся еще в девяносто восьмом. Из соседнего города уходила другая дорога в центр области, и поэтому он вместе со своим химическим комбинатом считался куда более перспективным, чем город майора Ильдуса Сангеева. Ведь население «соседа» насчитывало около четырнадцати тысяч человек. И это при том, что он считался небольшим и в прежние времена насчитывал только двадцать тысяч жителей. Но работа на химическом комбинате и вокруг него кормила многих.

Рассказывали, что в поисках денег для вымирающего города мэр сумел добраться даже до столицы. Но никто не понимал его тревог и опасений. Город был обречен на медленную смерть. Для пограничников это была территория в глубине страны, для соседнего города — конкурент, откуда приезжали на работу люди, для области — депрессивный городок, который почему-то не хотел умирать, а для столицы — далекая провинциальная точка, о которой никто и никогда не слышал, да и не хотел слышать.

Эльбрус Казиев вернулся в город, понимая, что никто и никогда им не поможет. Соответственно, он так и стал относиться к своим обязанностям, понимая, что всего лишь помогает его жителям продлевать время своего пребывания в этом городе. Нет, он по-своему был инициативным руководителем, хорошим организатором. Но только для того, чтобы «больной окончательно не умер». На реанимацию и выздоровление больного города не было ни средств, ни сил. И самое страшное, что для этого не было никакого желания — ни у руководства области, ни у руководства страны, ни у Эльбруса Казиева, который понимал обреченность всех попыток возродить город.

Может, поэтому в бывшем здании горкома и горисполкома, теперь называемом мэрией, и стояла непривычная тишина, изредка нарушаемая кем-нибудь из посетителей, пришедших сюда за справкой?

В большом здании теперь работали только тридцать восемь человек, включая водителей и уборщиц. Казиев назначил своим заместителем Лану Краковскую, которая раньше работала директором местной библиотеки. Библиотека давно не функционировала, в ее читальных залах теперь стояли бильярдные столы, и злые языки утверждали, что весь доход с этих столов шел в карман бывшего директора библиотеки.

Лана оказалась очень энергичным человеком. Она выбила из области один джип для разъездов по бездорожью, сумела получить довольно крупную сумму на ремонт электростанции. Правда, злые языки снова утверждали, что она действовала не совсем честно, заплатив «откат» нужным чиновникам; но самое главное было в том, что электростанцию все-таки отремонтировали и теперь электричество бесперебойно поступало в дома горожан.

Ильдус посмотрел на стоявшие перед ним телефоны. Три аппарата, что слишком много для такого городка, как их. Но эти аппараты остались еще со старых времен. Красный телефонный аппарат был связан с кабинетом мэра. На нем не было даже привычного набора цифр. Можно было просто поднять трубку и соединиться с самим мэром города. Этот телефон раньше стоял в кабинете первого секретаря горкома партии. Синий аппарат был председателя горисполкома. В его кабинете сейчас обосновалась вице-мэр, и с ней тоже была прямая связь. Третий телефон был обычный, городской, хотя номеров в городе было совсем немного, не больше двух тысяч. В этом была какая-то насмешка: вместе с рацией у него были четыре линии связи. Он поднял трубку городского телефона и набирал номер телефона своего дома. Услышал голос жены.

— Здравствуй, Марьям, — ровным голосом произнес он, — как себя чувствует твоя мама?

— Не очень хорошо. Она по-прежнему не спит. Я дала ей лекарство, но она все время кашляет.

— Нужно вызвать врача, — посоветовал муж.

— Я уже позвонила в поликлинику. Они обещали зайти после двух. Сейчас там никого нет.

— У нас в поликлинике четыре врача, — возмутился Ильдус, — интересно, где они пропадают в рабочее время? Какое безобразие!

— Ты же прекрасно знаешь, что они все пошли по домам, чтобы встретить детей, возвращающихся из школ. А потом снова вернутся на работу. И кто-нибудь зайдет к нам.

— Может, позвонить в больницу? Там всегда дежурит бригада «Скорой помощи», — предложил майор.

— Не нужно беспокоить людей. Они скоро придут. Ты не волнуйся, я рядом с ней, не пошла сегодня в школу. Меня заменит Рафига Нуриевна, я ее уже попросила. Проведет урок вместо меня.

Марьям Сангеева работала завучем в школе и преподавала литературу. Иногда они с учителем географии подменяли друг друга.

— Как хочешь, — все еще недовольно произнес Ильдус. — Наши из Вильнюса не звонили?

— Нет.

— Уже целую неделю не звонят. Может, сами позвоним?

— Я сегодня позвоню, — пообещала жена, — ты только не волнуйся. До свидания.

Он положил трубку. Все не так, как нужно. Младшая дочь звонит раз в две-три недели, как будто не понимает, как волнуются родители. Хотя она уже взрослая женщина, у нее двое сыновей. Тем более должна понимать, как волнуется мать, когда она так долго не звонит. Хотя что там может случиться? Литва — это настоящая Европа. Там все правильно, удобно, чисто. Это не их город, где в рабочее время все врачи уходят по домам, а заключенных из изолятора нужно отпускать на обед, чтобы не кормить их за счет милиции.

Словно услышав его мысли, в комнату вошел сержант Максудов. Это был мужчина среднего роста, с густо сросшимися бровями и несколько удлиненным черепом. Его характерная внешность сразу запоминалась. У него были длинные руки, пальцы доставали почти до колен. В молодости Ризван был неплохим борцом, но после тридцати бросил спорт, понимая, что особых успехов уже не добиться.

— Что у тебя, Ризван? — спросил майор.

— Вы приказали вчера, чтобы я задержал Тедо за драку в библиотеке.

— А ты не задержал?

— Нет.

— Почему?

— У него жена беременная, будет волноваться. Мне моя жена об этом сказала. Поэтому я вчера его отпустил, чтобы сегодня забрать.

— Только после обеда, — посмотрел на часы Ильдус, — а то нам его кормить придется.

— А ужинать он как будет?

— Что-нибудь закажем из ресторана, — махнул рукой майор, — у нас еще деньги остались.

— Ваша секретарь сегодня не придет... — Сержант не спрашивал, это было утверждение. Он знал лучше других, что Куляш осталась с больным отцом, так как ее мать работала на хлебокомбинате, а старшая сестра уехала в областной центр и вернется только через два дня.

— Знаю, что не придет, — нахмурился Ильдус, — поэтому нам еще и придется кормить Тедо. С ним нужно серьезно поговорить. Почему он опять устроил драку?

— Там был парень с электростанции, кажется, Гачиз. Он раньше встречался с Лианой, женой Тедо.

А потом она вышла замуж за Тедо. Гачиз что-то сказал, Тедо ответил, вот поэтому драка и началась.

— Теперь Тедо будет драться со всеми, кто начнет с ним разговаривать про Лиану? — недовольно спросил майор. — Так нельзя. Нужно ему объяснить, чтобы он прекратил эти драки. Он хороший специалист, в кооперативе такие деньги зарабатывает на своих ремешках, а лезет в драку, как последний дурак. Сильно он избил Гачиза?

— Сильно. Ему даже врача вызывали.

— Сегодня приведи его ко мне, — решил майор, — я ему объясню, как нужно себя вести. Еще одна такая драка — и я оформлю официальный протокол и отправлю его в областной центр. Там дело передадут в суд и посадят его месяцев на шесть. Значит, день рождения своего ребенка он встретит в тюрьме. Если его устраивает такой расклад, пусть по-прежнему дерется со всеми. Нельзя быть таким ревнивым.

— У него мама грузинка, — напомнил сержант.

— Ну и что? Поэтому он может бить всем морду? Горячий слишком. Поезжай и забери его прямо сейчас. Скажи Лиане, чтобы не волновалась. Мы его все равно у нас не оставим. Кто будет его кормить и мыть за ним посуду?

Сержант усмехнулся и, согласно кивнув, вышел из кабинета. Ильдус немного посидел в кресле, затем поднялся, подошел к сейфу, открыл его, достал пачку денег. Завтраки, обеды, ужины, подумал он. Будем считать, что Тедо посадили на три дня, как полагается по закону. Заодно посадили и того, с кем он дрался. На их питание отпущено по сорок два рубля. Значит, три дня на двоих заключенных составляет двести пятьдесят два рубля. Плюс расходы на транспортировку и конвоирование. Итого триста пятьдесят. Он отсчитал триста пятьдесят рублей и переложил их в свой карман. Затем посмотрел на телефон. Если теща умрет, будут большие расходы. Предположим, что Тедо сломал окно в их здании. Это еще пятьсот рублей. Нет, шестьсот. Возьмем шестьсот пятьдесят для ровного счета. Итого тысяча рублей. Тедо распишется за любое окно и за любой счет, лишь бы его не сажали. А чтобы он понял, как надо себя вести, будет совсем хорошо, если он заплатит и штраф.

Майор закрыл дверцу сейфа и вернулся в свое кресло. Снова посмотрел в окно. Никого нет. Примерно к двум часам дня сюда приедет из отеля хромой Назар. Он должен привезти деньги за этот месяц. Майор недовольно постучал пальцами по столу. Он берет с этого небольшого отеля тысячу долларов каждый месяц. А они зарабатывают наверняка больше пяти. Хотя и клянутся, что только три. В этом отеле уже давно никто не останавливается и там не бывает никого, кроме троих местных девочек, которые работают без перерывов, обслуживая инженеров и служащих с электростанции. И еще местных кооператоров. Каждый платит за визит пятьдесят долларов. Легко посчитать, что если у девочек бывает хотя бы один клиент в день, то в месяц каждая получает полторы тысячи долларов. Значит, втроем они зарабатывают почти пять тысяч. А клиентов у них бывает гораздо больше.

Ильдус нахмурился. Кажется, они все-таки обманывают его. Нужно будет самому все проверить. Иначе нельзя. С этими людьми нельзя быть добреньким, или ты вылетишь в трубу. В этом заброшенном городке по-другому невозможно сделать большие деньги. В лучшем случае со всеми «бонусами» в месяц выходило не больше ста тысяч рублей. Плюс зарплата в двадцать четыре тысячи. И еще нужно платить мэру города и куратору в областном УВД. На такие деньги приличную машину не купишь, семьям двух девочек нормально не поможешь и начальству хороших подарков не сделаешь. Он помнил, как, еще будучи молодым лейтенантом, повез в областной центр их куратору пятьсот рублей и положил на стол, краснея от стыда, завернув деньги в газету. Куратор деловито взял газету, развернул, пересчитал и поморщился.

— Такие деньги обычно дают как подачки проституткам за одну ночь, — недовольно сказал он. —

В следующий раз не привози меньше двух кусков, чтобы меня не оскорблять.

Но деньги все же взял, положив их во внутренний карман. Делать большие деньги в своем городке Ильдус не мог. Может, поэтому он и оставался майором в течение стольких лет и получал все свои звания с таким опозданием. Ильдус тяжело вздохнул. Нужно будет вечером пройти по всем «точкам» и посмотреть, что там можно собрать. Если умрет теща, будут большие расходы, еще раз с неудовольствием подумал он.

ГЛАВА 2

Cержант привез Тедо ровно через полчаса. Этот наглый драчун вошел в кабинет и без разрешения уселся на стул напротив майора. Он был в кожаной куртке и в джинсах. Ильдус мрачно посмотрел на своего гостя. Очевидно, тот хорошо понимает, что придется платить. И майор готов принять эти деньги. Вопрос только в цене. Но как бы хотелось оформить протокол и отправить этого наглого типа в областную тюрьму!

— Опять драку устроил? — спросил он вместо приветствия.

— Он сам начал задираться, — возразил Тедо, — сначала начал хмыкать, потом хрюкать...

— Если он свинья, то пусть хрюкает, какое твое дело?

— А потом начал показывать рога, намекая на меня. Он ведь встречался с

Лианой до меня. Вот поэтому он и не может успокоиться, что она его бросила и ко мне ушла.

— Правильно сделала, — кивнул майор, — он ведь у нас босяк, рабочий с электростанции. Что они там получают? Пять тысяч рублей. А ты у нас человек богатый, кооператор. Вот поэтому она тебя и выбрала. Женщины вообще умнее, чем мы думаем...

Тедо опустил голову. Ему все было понятно. У него было такое симпатичное красивое лицо. Внешне он был похож на западных актеров. И еще красивые волнистые волосы каштанового цвета.

— Сколько? — прямо спросил он.

Сангеев поднялся и подошел ближе. Здесь никто бы не стал подслушивать, но он не хотел говорить громче обычного. Майор наклонился к своему гостю.

— Ты не наглей, — посоветовал он, — не нужно вести себя так неуважительно. Здесь тебе не базар, чтобы спрашивать цену. Цену здесь назначаю я, и никто не торгуется. Еще раз устроишь драку или придешь сюда с таким выражением лица, я тебя просто посажу в тюрьму на шесть месяцев. И твои деньги тебе не помогут.

— Неужели посадишь? — ухмыльнулся Тедо. — И деньги больше не будешь брать?

Майор размахнулся и ударил гостя в челюсть. Тот пошатнулся на стуле и, опрокинувшись, упал на пол.

— Вот так, — удовлетворенно сказал Ильдус. —

А теперь заплатишь десять тысяч — и катись на все четыре стороны.

— Почему десять? — спросил Тедо, поднимаясь с пола.

— Пять за драку и пять за оскорбление сотрудника милиции при исполнении им служебного долга.

— Тогда понятно, — Тедо достал из кармана восемь бумажек по тысяче рублей.

— Две занесу вечером, — сообщил он.

— Лучше отдай Ризвану. Он зайдет к вам вечером.

— Все понятно. «Обслуживание на дому», — пошутил Тедо.

— Насчет областного центра я не шутил, — напомнил майор.

— Я все понял, — сказал Тедо.

Он вышел из кабинета не попрощавшись. Майор проводил его хмурым взглядом и громко крикнул, вызывая сержанта.

— Вечером он даст тебе две тысячи рублей, — сообщил он своему сотруднику, — возьмешь тысячу себе, а другую тысячу принесешь мне завтра. Все понял?

— Да, конечно.

— Хотел с тобой посоветоваться, — неожиданно сказал Ильдус, — ты давай садись, я с тобой переговорить должен.

Сержант уселся на стул, глядя на майора.

— Как ты думаешь, сколько в нашем отеле ежедневно бывает людей? — спросил Ильдус.

— Смотря какой день, — рассудительно ответил Ризван, — если в выходные, то иногда и по семь-восемь человек приходит. А в обычные дни больше двух-трех не бывает.

— Я тоже примерно так и считал, — согласился майор, — значит, выходит, что в среднем они принимают по одному человеку в день. Я имею в виду девочек хромого Назара.

— Можно сказать и так, — согласился сержант, — хотя клиентов иногда бывает и меньше. Но если хотите, мы можем точно узнать.

— Каким образом? — мрачно спросил Ильдус.

— Попрошу кого-нибудь из моих ребят проследить, сколько там бывает клиентов, — пояснил Ризван. — Они ведь работают обычно с пяти вечера до двух ночи, можно точно выяснить.

— Действуй, — согласился майор, — только не нужно, чтобы об этом кто-нибудь узнал.

Ризван вышел из кабинета, и майор потрогал деньги, которые лежали у него в кармане. Нужно будет оформить протокол на разбитое окно и выписать счета на еду для задержанного. Пусть распишется.

Позвонил телефон. Он взглянул на аппараты. Звонил синий телефон. Даже странно, он давно уже не звонил. Ильдус дождался еще одного звонка и снял трубку.

— Добрый день, уважаемый господин майор, — услышал он немного насмешливый голос Ланы Краковской, вице-мэра их города.

— Здравствуйте, — вежливо поздоровался Ильдус. Это была единственная женщина в городе, которой он опасался. Даже когда она работала в библиотеке, он старался не связываться ни с ее игровыми столами, ни с ее клиентами, не облагая их никакими налогами. Говорили, что она была неравнодушна к их Альберту. Но, возможно, это были только слухи. Однако майор точно знал, что у Ланы есть покровители и в областном центре, и среди руководства областного УВД. А значит, связываться с такой особой было очень небезопасно. Ей тридцать восемь лет, и она жила вдвоем со своим сыном, который заканчивал седьмой класс. Она переехала сюда еще десять лет назад из южной республики, где остался ее муж, с которым она развелась. И с тех пор сделала феноменальную карьеру, сначала устроившись продавцом в книжный магазин, затем стала директором магазина, в котором почти не было никаких книг, затем директором местной библиотеки и наконец вице-мэром города.

— Я хотела с вами посоветоваться, — продолжала Лана, — вы не могли бы зайти ко мне в мэрию, чтобы мы могли обстоятельно поговорить?

— Обязательно, — согласился майор, — когда мне нужно быть у вас?

— А когда вы можете?

— Прямо сейчас.

— Тогда я вас жду, — она положила трубку.

Ильдус посмотрел на телефонный аппарат. Он не ждал ничего хорошего от подобных срочных вызовов в мэрию. Но нужно было идти. Поднявшись, он вышел из кабинета и заглянул в соседний, где обычно сидели лейтенант Орилин и сержант Максудов. Сержанта уже не было, а лейтенант сидел за своим столом и что-то писал.

— Что опять случилось? — спросил майор.

— Разбили машину Мелентьева и украли магнитофон, — сообщил лейтенант, — уже второй случай за неделю.

— Зачем нашим ворам магнитофон, — поморщился Ильдус, — кому он нужен? Куда они смогут его продать?

— Не знаю. Сам не понимаю.

— Какой автомобиль у Мелентьева? Ему же много лет?

— Старый японский внедорожник. Ему уже лет двадцать, давно пора на свалку. Страховая компания отказала ему в страховке в прошлом году, когда он поехал в областной центр.

— И кто-то полез в его машину? — недоверчиво переспросил Сангеев.

— Я сам удивляюсь. И самое поразительное, что у Мелентьева в бардачке деньги лежали. Немного, рублей триста, но воры их не взяли.

— Так не бывает. Старый магнитофон взяли, а деньги не тронули? Тогда это мальчишки озорничали.

— Сам ничего не понимаю.

— Нужно подумать, — посоветовал начальник милиции, — здесь что-то не сходится. Два автомобильных магнитофона за неделю. У нас ведь не больше четырехсот машин на весь город, и любой магнитофон можно проследить. Значит, тут что-то другое. Думай, лейтенант, думай. И еще: перебирайся в мой кабинет. Я ухожу в мэрию, буду через час. Я заберу свою рацию, а ты возьми свою. Если что-нибудь случится, сразу сообщи мне.

У них были четыре рации на троих. Четвертую обычно оставляли Куляш, сидевшей в приемной, и она очень гордилась тем, что слушает переговоры сотрудников городской милиции. Хотя на самом деле рации были не так уж нужны — ведь любое сообщение можно было передать лично или по городскому телефону. И если здесь не было мобильных аппаратов, то городская телефонная сеть работала вполне исправно.

— Сейчас переберусь, — согласился Орилин, собирая свои бумаги. На руке у него блеснули новые часы. Ильдус удивленно поднял брови, но ничего не спросил. Об этом можно будет поговорить, когда он вернется из мэрии.

Майор надел куртку и вышел из здания. На часах было двадцать минут первого. По улице проезжал грузовик, груженный кожей. Ильдус недовольно посмотрел на грузовик. Этот кооператив по выделке кожи совсем обнаглел, вообще ничего не платит. И все дело в том, что его владелец — родной брат мэра города. Конечно, с такого человека ничего нельзя брать, и это порождает общий непорядок в городе. Одни платят, а другие отказываются! Сангеев подумал, что ему нужно будет переговорить с владельцем кооператива Халимом Казиевым и объяснить, что деньги нужны не на личные нужды начальника городской милиции, а для пополнения бюджета милиции, который почти не изменился за последние пятнадцать лет и на который невозможно поддерживать общественный порядок на должном уровне. Хотя, если подумать, то все равно не стоит с ним связываться. Он обязательно расскажет обо всем брату, тот потребует свою долю, и в результате вообще ничего не останется. Лучше оставить их в покое.

Пока он шел до здания мэрии, мимо проехали еще два автомобиля. Обе машины он знал по номерам. «Москвич» принадлежал сыну директора школы, а «Волга» — самому главному врачу больницы, уважаемому в городе человеку. Все знали, что в больнице существуют строгие правила и там платят буквально за все: за лекарства, за перевязочные материалы, за постельное белье, за еду, даже за услуги нянечек и санитарок. Даже судно, которое подкладывали больным, нужно было оплачивать из собственного кармана. Все входили в положение больницы, которая уже давно, по словам ее главного врача, не получала никаких дотаций и денег из областного центра. Наверное, жители города очень удивились бы, узнав, что за последние годы бюджет городской больницы увеличился в шесть раз. Но эти деньги практически не доходили ни до больных, ни до врачей. Они растворялись в кабинете мэра, заведующего городским отделом здравоохранения и главного врача больницы, каждый из которых ездил на столь редко встречающейся в городе черной «Волге».

Ильдус вспомнил об украденных магнитофонах. Интересно, кто это может быть? Ему казалось, что он знает всех местных жителей и наверняка должен понимать — кто и зачем ворует эти автомобильные магнитолы. Ведь раньше машины оставляли на улице, даже не закрывая их на ключ. Здесь не было угонов машин или краж из салонов автомобилей. Просто их некуда было угонять или продавать. Через границы неоформленную машину не пропустят, а везти ее в город, где был химкомбинат, себе дороже. Достаточно было предупредить коллег, и любой автомобиль гарантированно задержали бы на въезде в город. Значит, здесь работает какой-то новичок, возможно, не местный. А кто мог появиться в городе незаметно?

Раздумывая над этим, он подошел к зданию мэрии. У входа сидела пожилая Пакиза-ханум. Ей было уже за восемьдесят, но она сохраняла ясный ум и обладала превосходной памятью. Говорили, что за последние сорок лет она ни разу в жизни не была на бюллетене. Такая женщина была идеальным вахтером: она не только запоминала каждого посетителя, но и знала всех горожан в лицо.

— Добрый день, уважаемая Пакиза-ханум, — вежливо поздоровался майор, — как ваши дела?

— Здравствуй, Ильдус, — улыбнулась она, — как чувствует себя твоя теща?

— Не очень, — ответил он, — совсем сдала в последнее время.

— Как жалко, — вздохнула Пакиза, — а ведь она младше меня на несколько лет. Передай привет своей супруге.

— Обязательно передам.

— Ты к кому пришел? К нашему мэру?

— Нет, к Лане Борисовне. У нее есть кто-нибудь?

— Сегодня никто не приходил. Она сейчас за главного. Можешь смело подниматься к ней, — кивнула Пакиза.

Сангеев поднялся на второй этаж. Кабинет мэра и его приемная были в правом крыле здания, где раньше находился кабинет первого секретаря горкома. А кабинет вице-мэра был, соответственно, в левом крыле, где раньше располагался председатель горисполкома. Сангеев свернул налево, направляясь к приемной. Здесь работала двоюродная сестра Ризвана — Сурия, которая перешла сюда из библиотеки вместе с Ланой Борисовной. Сурие было уже за сорок, она была убежденной «старой девой», которая в силу своего характера не очень любила посетителей. Секретарем она была почти идеальным, запоминая и фиксируя все. Лана Борисовна ценила ее пунктуальность и работоспособность, именно поэтому и взяла своего секретаря вместе с собой в мэрию.

Увидев начальника городской милиции, Сурия мрачно кивнула в знак приветствия, даже не изобразив подобия улыбки. Майор знал о тяжелом характере немолодой женщины и поэтому ничуть не удивился.

— У себя? — уточнил он.

— Ждет вас, — сообщила Сурия.

— Зачем звала?

По существующим правилам милицию курировал лично мэр города, тогда как вице-мэр курировала социальные и культурные объекты. Но, видимо, произошло нечто важное, если она решилась пригласить Сангеева в свой кабинет.

— Не знаю. Она хотела с вами поговорить.

«Знает, но ничего не скажет», — убежденно подумал начальник милиции. Он дождался, пока Сурия доложит о его появлении, повесил куртку в приемной и, получив разрешение, вошел в кабинет.

Лана Борисовна была в сером брючном костюме. Он всегда удивлялся, как элегантно она одевается. Он бы удивился еще больше, если бы узнал, что большинство ее нарядов сшито в областном центре местным портным Толиком Аванесовым, который шил одежду по образу и подобию западных образцов. Он тоже переехал сюда из южной республики и за несколько лет стал самым модным мастером в областном центре, обшивая не только все руководство области, но и приезжающих сюда гостей. Лана Борисовна энергично пожала руку гостю, кивнула на стул.

У нее было чуть вытянутое лицо, с прямыми ровными чертами, светлые волосы. Она никогда не была красавицей, но всегда умела очень искусно подавать свои достоинства. В молодости она занималась спортом и сумела сохранить почти идеальную фигуру. Длинные ноги, упругая грудь и светлые волосы делали ее почти богиней в коридорах областной власти, где мужчины-чиновники просто таяли от одного ее вида. Она этим ловко пользовалась.

— Извините, что оторвали вас от важных дел, — начала Лана Борисовна.

— Какие у нас дела, — добродушно ответил начальник милиции, — все спокойно. Слава богу, у нас никаких преступлений не бывает. Народ спокойный, все понимает, ничего не нарушает. Иногда драки какие-нибудь случаются, но мои ребята все быстро пресекают. У нас за последний квартал ни одного серьезного происшествия не было.

— Одно убийство было, — нахмурилась Лана Борисовна.

— Да, было. Но мы его сразу раскрыли. Жена Аскена ударила его по голове гантелей. Вы помните, как мы все переживали. Он скончался по дороге в больницу. Бытовое убийство на почве семейной ссоры. Я сам ездил в областной суд, чтобы ее защитить. У нее осталось двое детей. А он все время пил и бил их всех. Судья оказалась понимающим человеком и дала ей только четыре года условно.

Он не стал уточнять, что судья оказалась мерзкой женщиной и просила двадцать тысяч долларов за такой приговор. Жену Аскена все жалели и сочувствовали их горю. Женщина-судья тоже сочувствовала и понимала, что избитая жена только защищалась и это было непредумышленное убийство; к тому же в доме оставались двое несовершеннолетних детей, которые не смогли бы выжить без отца и матери. Но она упрямо хотела двадцать тысяч долларов. После долгих торгов она сбила цену до десяти тысяч. Разумеется, таких денег у жены Аскена не было, да и не могло быть. Ильдус Сангеев приехал тогда к мэру города и рассказал ему обо всем. Казиев вошел в положение и выделил пять тысяч долларов на взятку судье. Остальные пять пришлось собирать по другим местам. Сангеев даже доложил собственные восемьсот долларов, чтобы не оставлять детей на произвол судьбы. Судья получила свои деньги и вынесла «справедливый» приговор.

— Я знаю о вашем участии в этом деле, — кивнула Лана Борисовна, — но говорят, что и наш мэр помог с этим приговором.

Сангеев насторожился. Неужели мэр мог рассказать о взятке своему заместителю? Какая непростительная ошибка!

— Мы вместе спасали женщину и ее детей, — уклонился он от ответа.

— Это было очень благородно, — кивнула она, — я как раз о детях и хотела с вами переговорить. Вы знаете, что сегодня вся молодежь увлечена Интернетом, во всем мире он развивается невероятными темпами.

— Пусть развивается, — пожал плечами майор, — вы лучше меня знаете, что мы уже подключились к Интернету через наши телефоны. А беспроводной Интернет у нас просто невозможен, даже мобильная связь не работает.

— Это я знаю. Но я хотела с вами посоветоваться о другом. Может, нам переоборудовать какое-нибудь помещение в интернет-клуб? Сейчас такой появился в областном центре. И у нас может появиться, чтобы занять досуг детей.

— Пусть появится, — даже удивился Сангеев, — я не против. Это хорошая идея.

Он все еще не понимал, почему она решила посоветоваться на эту тему именно с ним. Какое отношение имеет начальник городской милиции к созданию интернет-клуба? Об этом нужно говорить с заведующей районным отделом народного образования.

— Я тоже так считаю, — кивнула Лана Борисовна, — и поэтому мне нужна ваша помощь.

— Моя помощь? В чем? Я не очень разбираюсь в компьютерах, — признался майор.

— Вы меня не поняли, — улыбнулась она, — дело в том, что нам понадобится большое помещение для этого клуба. Как минимум двухэтажное. Еще лучше трехэтажное. На первом этаже будет дискотека для молодых и молодежное кафе, на втором сам интернет-клуб, а на третьем мы разместим творческую галерею наших молодых талантливых ребят. Вот такая идея.

— Очень хороший план. А где вы найдете такое здание?

— Уже нашли, — торжествующе произнесла Лана Борисовна, — отель «Мечта». Он как раз находится в центре города. Мы можем легко переоборудовать его в такой интернет-клуб.

Наступило неловкое молчание. Тысячу долларов в месяц не платит никто, кроме хромого Назара. И эти деньги они хотят у него отнять. Он попытался что-то сказать, но почувствовал, как к горлу подкатывает какой-то комок. Он даже кашлянул.

— Извините. Я не совсем понимаю. Вы хотите закрыть единственный в городе отель? Но у нас нет других гостиниц.

— И не нужно, — радостно сказала вице-мэр, — я проверила статистику. За последние три года там практически никто не останавливался. Зачем нам такой нерентабельный отель? Только бар работает по вечерам, да и то в наш местный бюджет дает гроши.

«Интересно, она издевается или ничего действительно не знает?» — со злостью подумал майор.

— Мы говорили с директором отеля Назаром Кулиевым, — продолжала Лана Борисовна, — и выяснили, что здание было приватизировано еще восемь лет назад. И совладельцами отеля являетесь вы и сам господин Кулиев. Вот поэтому у нас и возникла такая идея. По подсчетам нашего экономиста, интернет-клуб может приносить доход в тридцать-сорок тысяч рублей. Это очень выгодное предложение для вас как для совладельца. А мы возьмем на себя переоборудование и ремонт отеля. Вы ничего не будете тратить. Будем считать, что город берет в аренду у владельцев отеля их здание, и соответственно мы будем платить вам двоим эти тридцать тысяч рублей.

— Тысячу долларов на двоих, — сразу посчитал майор, чувствуя, как начинает дергаться от бешенства левый глаз. Она точно над ним издевается. — Это хорошее предложение, — осторожно сказал он. — А сам Назар что вам сказал?

— Он будет согласен с любым вашим решением, —ответила Лана Борисовна, — кроме того, у нас есть претензии к этому отелю. Возможно, вы даже не знаете, но там случаются какие-то неприятные истории. Сурия говорила мне, что там даже иногда женщины встречаются с работниками электростанции. И сам Кулиев сдает им номера для подобных встреч. Я, конечно, не поверила в такую грязь, но упорные слухи об этом все же ходят. Мне кажется, вы должны меня понять. Нельзя, чтобы в гостинице, совладельцем которой является начальник городской милиции, могли происходить подобные эксцессы. А вы как считаете?

«Сука. Все знает и издевается, — окончательно разозлился Сангеев. — Я ей покажу интернет-клуб! А Назара я просто убью».

— Я подумаю над вашим предложением, — неторопливо ответил он, — нужно все еще раз внимательно просчитать.

— Не нужно ничего считать. Сейчас отель, по

всем документам, приносит вам только убытки, а мы исправно будем платить вам деньги за аренду.

— Да, конечно. Но я все равно должен подумать, — хрипло выдавил он.

— Подумайте и постарайтесь быстро дать свой ответ, — поднялась она с места, протягивая ему руку, — мы должны думать о нашей молодежи, о ее досуге.

— А наш мэр знает о вашем предложении? — спросил Сангеев перед тем, как выйти.

— Как раз он сам и разговаривал с господином Кулиевым, — улыбнулась на прощание Лана Борисовна.

Это был как удар в солнечное сплетение. Комок в горле застрял так, что майор сумел выдавить лишь какие-то нечленораздельные звуки и поспешно вышел из кабинета. В приемной он взглянул на Сурию, чувствуя дикое желание разорвать эту стерву на куски. Он забрал свою куртку и вышел из приемной, закрывая за собой дверь. Отдышался. Нужно решать, что ему делать дальше. К мэру сейчас идти нельзя. Нужно найти Назара и выяснить, что именно происходит.

Он даже не мог предположить, что это было по-настоящему последнее спокойное утро города, в котором уже сегодня должны были начаться трагические происшествия.

ГЛАВА 3

Он вышел из здания и направился к гостинице, которая находилась в двух кварталах отсюда. Обычно по городу он ходил пешком, чтобы хоть немного сохранить физическую форму. Его автомобиль, внедорожник «Ниссан Патрол», обычно находился в гараже, откуда он выгонял его, чтобы поехать в соседний город или областной центр.

На улице показались школьники, которые торопились по домам. Они весело здоровались с Ильдусом Сангеевым, ведь начальника городской милиции знали все жители города. И хотя он почти никогда не носил формы, его тучную фигуру узнавал любой прохожий. Он рассеянно отвечал на приветствия, подходя к зданию гостиницы. Все события сегодняшнего дня выстраивались в какую-то непонятную зловещую цепочку, которую следовало разомкнуть. Лана Борисовна не могла разговаривать с ним без санкции самого мэра. Если учесть, что Казиев успел вызвать хромого Назара и переговорить с ним, то цепочка представлялась весьма впечатляющей и пугала своей неопределенностью.

Ведь мэр тоже получает свои деньги с этого отеля и не может не понимать, как отреагирует на закрытие гостиницы начальник милиции. А самое обидное, что мэр не стал с ним разговаривать, а поручил этот неприятный разговор своему заместителю и пытался договориться с Назаром за его спиной. Происходило что-то непонятное.

Сангеев дошел до гостиницы. Здание было действительно старым. Некогда гостиница горкома партии, сейчас оно обветшало и мало походило не только на приличную гостиницу, но даже на провинциальный бордель. На ремонт не было ни средств, ни желания. На первом этаже находился небольшой бар и кабинет директора. На втором и третьем — по несколько номеров. Единственным плюсом этого отеля были санузлы в номерах и горячая вода, которая поступала бесперебойно — сказывалась работа электростанции. В подвале отеля находился мощный нагреватель воды, работающий на электричестве. Практически все знали, что счетчик нагревателя отключен и за электричество никто не платит. Но тем не менее горячая вода была практически всегда и многие приходили сюда, чтобы просто принять душ и немного отдохнуть. Разумеется, никого из посетителей никогда не регистрировали, и, по официальным данным, здесь почти три года не было никаких постояльцев. Кроме бармена Саши, который работал здесь уже десять лет, в отеле всегда были три девицы, готовые оказать услуги гостям за определенную и строго фиксированную плату: Ламия, Веселина и Салима.

Ламия была шатенкой небольшого роста, подвижная, смешливая и пухленькая. Веселина приехала сюда восемь лет назад и буквально через год потеряла мужа, погибшего в автомобильной катастрофе в горах. Оставшись с двумя детьми, она довольно быстро согласилась на предложение хромого Назара. Она была блондинкой с роскошными длинными волосами и высокой грудью — может, поэтому пользовалась гораздо большим вниманием всех посетителей, чем остальные молодые женщины, и зарабатывала столько, сколько остальные две ее подруги, вместе взятые. Третьей была Салима. Рассказывали, что в молодости она была очень красивой девушкой. За ней ухаживал сам Рагим Ахунов, лучший охотник в этих местах. В горах водились лисы и барсы, не говоря уже о горных козлах, во множестве бродивших по горным склонам. Рагим был одним из лучших охотников. Говорили, что это была очень красивая пара. Они часто уходили вместе в горы, ведь там они были по-настоящему свободны. У Салимы не было матери, ее воспитывал отец, тоже известный охотник Казбек, лучшим учеником которого и был Рагим. Там, в горах, и произошло несчастье, когда Рагим, сорвавшись с горного склона, полетел вниз. Говорили, что Салима три дня несла его, раненного, буквально на руках, он и умер уже на подходе к городу. Салима замкнулась, похудела, почернела от горя. А через шесть месяцев родила мертвого ребенка. Затем она уехала в областной центр. Говорят, что там за ней ухаживал сын какого-то большого областного начальника, которому, в конечном-счете, не разрешили жениться на женщине, у которой уже был мертвый ребенок. Она вернулась в свой город в прошлом году и целый месяц сидела у себя в доме, не выходя из него. Многие помнили о том, какой красивой девушкой она была, и пытались вызвать ее на свидание. Но неожиданно она сделала то, чего никто от нее не ожидал. Она сама пришла к хромому Назару и предложила свои услуги. Он не хотел верить, что она решилась на подобный шаг, и боялся мести Казбека, отца Салимы. Поэтому он ей сразу отказал.

Она пришла на следующий день и снова попросила, чтобы он разрешил ей остаться. Он снова отказал. Когда она пришла на третий день, он сдался. Она много курила, почти не пила и не скрывала своего презрения ко всем мужчинам, которые здесь появлялись. Некоторым это даже нравилось. Некоторым было все равно. Некоторым нравилась сама Салима. У нее был взбалмошный, истеричный характер, и в любой момент она могла сорваться. Был даже случай, когда она избила одного клиента, предложившего ей несколько нетрадиционный секс. Словом, это была большая проблема хромого Назара.

Ее отец появился здесь уже на следующий день. Он появился с ружьем и готов был пристрелить каждого, кто попытается ему помешать. Хромой Назар был умным человеком. Он послал к нему Салиму, чтобы она могла поговорить со своим отцом. Разговор проходил на повышенных тонах, и Казбек дважды выстрелил в потолок. Потом говорили, что он дважды стрелял в свою дочь, но рука у него дрогнула.

Казбек ушел, чтобы никогда больше здесь не появляться. А Салима начала приходить сюда, как на работу. У нее появились деньги, нужно отдать должное хромому Назару. Он был сутенером и спекулянтом, но по отношению к молодым женщинам вел себя довольно пристойно, не отнимая и не воруя их денег, не облагая их непомерными поборами и входя в их положение. В свои шестьдесят он был по-настоящему мудрым человеком.

Ильдус вошел в отель и, мрачно кивнув бармену Саше, попросил налить ему воды. Он огляделся, вокруг никого не было.

— Где все? — зло спросил он у бармена.

— Уборщицы уже ушли, наши «дамы» еще не

пришли, — пояснил Саша, — а Назар должен сейчас зайти.

— Пусть зайдет в кабинет. — Ильдус прошел в кабинет директора, устроился в его кресле, открыл ящик стола. В нем был какой-то журнал и два цветных карандаша. Он полистал журнал. Ничего особенного, записи о приходе и расходе спиртного. Конечно, все это липа. Он уже положил журнал на место, когда в кабинет, прихрамывая, вошел Назар.

— Здравствуй, компаньон, — нехорошим голосом приветствовал его начальник милиции, — ну проходи, садись.

Назар кивнул и прошел к стулу, стоявшему напротив его стола. У него были большая теменная лысина, седые усы, немного свисающие щеки, зеленые глаза.

— Что нового? — свистящим голосом спросил майор.

— Ничего хорошего, — буркнул Назар.

— Почему?

— А ты разве не знаешь?

— Хочу услышать от тебя.

— Меня вызывал сам Эльбрус Казиев. Предлагает передать им гостиницу под клуб. Я ему честно сказал, что это твоя гостиница.

— А он?

— Рассмеялся и сказал, что с тобой он сумеет договориться.

— Больше ничего?

— Нет. Больше ничего. Сказал, что торопится в областной центр. Вчера вечером уехал.

— Значит, уехал, — облегченно вздохнул начальник милиции. Теперь все становилось на свои места. Если Эльбруса здесь нет, то тогда понятно, что с ним должна была разговаривать Лана Борисовна. Черт возьми. Он должен был обратить внимание на слова Пакизы, которая сказала, что теперь Лана за главного. А он не придал значения этим словам.

— Но почему такая срочность? Он что, не мог со мной переговорить?

— У вас вчера городской телефон не отвечал, — пояснил Назар.

— Верно, — сказал, вспоминая, Ильдус, — вчера мы отключили наш телефон. Теща болеет, не хотели ее беспокоить. А рация у меня была включена.

— Он позвал меня и пояснил, что нужно соглашаться передать отель под интернет-клуб. И сказал, что вернется сегодня вечером.

— Ничего больше не объяснил?

— Нет. Ничего. Я так понял, что он очень торопился и хотел тебя предупредить через меня. Приедет, сам с ним переговори.

— Какой, к черту, клуб! Конечно, переговорю. Мы и так ничего не получаем. Или ты решил со мной в «покер» сыграть?

— Какой «покер», Ильдус? Никто сюда целыми

неделями не заходит. На электростанции молодых почти не осталось, только пожилые и все, кто уже по сто раз у нас был. Даже Веселину не хотят. Нужно менять состав наших дам.

— Ну и меняй, если хочешь.

— На кого менять? Кого мне взять, когда здесь все друг друга, как облупленные, знают? Эти три женщины, которые у меня работают, и так самые отверженные в нашем городке. С ними даже на улице никто не здоровается. У Веселины скоро мальчик пойдет в шестой класс, а там дети такие неприятные вопросы будут задавать. Она сама мне об этом много раз говорила. Кого мне найти? Разве что пригласить восьмидесятилетнюю Пакизу и девственницу Сурию из мэрии? Может, тогда поможет. И Лану Борисовну, если не откажется.

— Шутник, — хмыкнул начальник милиции. — Пригласи женщин из соседнего города.

— Не получится. Кто к нам приедет? А если приедут, где будут жить? Кто их будет кормить, смотреть за ними? И сколько им платить? За такие деньги они не только с нашими не захотят оставаться, но им еще и доплачивать придется.

— Ладно, все понял, не шуми. Но почему они так внезапно решили отнять у нас гостиницу?

— Откуда я знаю? Спросишь у Эльбруса. Пусть он сам тебе объяснит. Я ничего не понял.

— Обычно ты понятливый.

— Не в этом случае. Мэр города хочет прикрыть мой бизнес, а начальник милиции не может меня защитить. Зачем мне влезать в такое тухлое дело? Займусь чем-нибудь другим.

— Уже придумал чем?

— Пока нет. Организую кооператив. Или уйду в горы охотником.

— Ты дураком не прикидывайся. Зачем им наш отель?

— Сам ничего не понимаю. Честное слово.

Ильдус поднялся, обошел стол. Задумчиво посмотрел на своего компаньона.

— Что-то здесь не так, — сказал он негромко, — сегодня нужно встретиться с Эльбрусом и все узнать. Ты когда сегодня открываешься?

— В пять, как обычно. Только все равно никого не будет. Приходит обычно Леня Силков, но его больше выпивка волнует, чем женщины. На них он даже не смотрит.

— Казбек больше не беспокоит?

— Нет, он здесь не появляется.

Ильдус подошел к дверям, приоткрыл их, посмотрел на протирающего бокалы Сашу, затем снова повернулся к Назару.

— Я постараюсь все узнать. Мы и так почти ничего не имели с этого борделя. Зачем они его у нас отнимают? Не нравятся мне их телодвижения, очень не нравятся.

Он забрал свою рацию и вышел из кабинета, прошел через зал, вышел на крыльцо гостиницы. Увидел припаркованную на улице машину Назара. Это был старый «жигуленок», купленный лет двадцать назад. Усмехнулся. Назар был человеком прижимистым, не любил зря тратить деньги. Ильдус прошел дальше, посмотрел на часы. Нужно вернуться на работу. Или пойти домой и пообедать. Уже третий час дня. Лучше зайти по дороге в один из ресторанов. Местные все равно кормят его бесплатно.

Ильдус перешел улицу, направляясь к одному из двух ресторанов, работающих в городе. Ресторан назывался претенциозно и громко «Тадж-Махал», словно в нем были изыски кулинарии индийской кухни. На самом деле там подавали обычные шашлыки, только со специями и различными травами. Ничего индийского там, конечно, не было, если не считать оформления зала в псевдоиндийском стиле. У здания ресторана стоял припаркованный внедорожник «БМВ». Рядом приткнулся старый «Мерседес» зеленого цвета, принадлежавший хозяину ресторана. Майор удивленно взглянул на внедорожник. Таких автомобилей в их городе не водилось. Наверное, приехали какие-то гости. Ильдус вошел в ресторан, осматриваясь вокруг. За столиками почти никого не было. В углу обедали двое молодых людей, возможно, приезжие с юга или запада. Они сидели к нему лицом, и он видел, как они быстро взглянули на него. Обычно так нервничают люди, которым есть чего бояться. Оба молодых человека быстро отвели глаза и продолжили обед. В другом углу обедал человек, сидевший спиной ко входу. Но Ильдус узнал его: это был Аслан, местный охотник, двоюродный брат погибшего Рагима Ахунова. Аслан обернулся и посмотрел на начальника милиции, затем, не здороваясь, снова принялся есть. Майор криво усмехнулся. Вся семья погибшего Рагима считала, что Салиму толкнули на безнравственный путь именно Сангеев и Назар Кулиев. Убедить их в противоположном было просто невозможно.

Ильдус положил куртку на соседний стул и устроился у входа, поглядывая на этих двух незнакомцев. Подозвал к себе одного из официантов. Тот быстро подскочил к начальнику милиции.

— Какой-нибудь салат, — приказал майор, — и позови Тухташа, пусть подойдет ко мне.

— А пить будете? — спросил официант. Он, как и все остальные, знал, что начальник милиции никогда не платит за свои обеды.

— Минеральную воду с газом. — Ильдус снова посмотрел на этих двоих молодых людей. Они нравились ему все меньше и меньше.

Через минуту к его столику подошел хозяин. Тухташ прибыл сюда из Казахстана еще пять лет назад и с тех пор осел в этом городе, открыв свой ресторан. Говорили, что у него были неприятности на родине и поэтому он переехал в этот далекий город, чтобы избежать преследования со стороны казахских властей. Но документы у него были в порядке, и Ильдус зря не дергал ресторатора; взамен тот исправно подписывал все нужные счета и кормил начальника милиции бесплатно.

— Здравствуйте, — поклонился Тухташ. У него было типично казахское лицо, с характерными азиатскими раскосыми глазами, вдавленным лицом и узкими губами.

— Садись, — разрешил начальник милиции, — как у тебя идут дела?

— Спасибо, все нормально. Хотя клиентов с каждым днем все меньше и меньше. Я уже и цены снижаю, но люди все равно не ходят, денег нет. Мы думаем организовать торговлю нашими кулинарными изделиями на вынос. Может, так будут покупать.

— Может быть, — равнодушно согласился Ильдус. — А кто эти двое, которые у тебя обедают?

Тухташ взглянул на гостей.

— Не знаю, — ответил он, — я их впервые вижу. Но они не местные.

— Это я тоже заметил. Давно приехали?

— Кажется, недавно. Только начали обедать. Но заказали самый дорогой коньяк. Целую бутылку.

— Они приехали на машине, — вспомнил Сангеев, — им нельзя столько пить. Куда они потом поедут?

Тухташ пожал плечами. Кажется, он действительно ничего не знает. Сангеев забрал свою рацию и, не став дожидаться салата, вышел из зала ресторана, провожаемый взглядами обоих незнакомцев. Выйдя из ресторана, он включил рацию.

— Орилин, — приказал он лейтенанту, — возьми оружие и найди сержанта. Чтобы через пять минут оба были вооруженные у «Тадж-Махала». Через пять минут. И захватите что-нибудь для меня. Я не взял своего табельного оружия, оно у меня в сейфе.

Он убрал рацию. Теперь нужно подождать. Возвращаться к ресторан не имеет смысла. Это вызовет ненужную реакцию гостей. Лучше не нервничать и дождаться своих сотрудников. Конечно, еще лучше сразу проверить документы этих парней, но делать это в одиночку и без оружия явно не стоит. В конце концов, он не герой, а обычный начальник милиции. И теперь ему лучше подождать, пока подойдут Орилин и Максудов.

Майор Сангеев даже не мог предположить, что с этой секунды начинает круто меняться не только его дальнейшая судьба, но и судьбы многих людей, которые были с ним связаны.

ГЛАВА 4

Лейтенант и сержант подошли к ресторану ровно через шесть минут. Оба были вооружены. Сержант протянул Ильдусу «трофейный» «макаров», проходивший по одному из давних дел. Кроме табельного оружия, в отделении милиции хранились пять автоматов Калашникова, ящик гранат, оставшийся еще с незапамятных времен, несколько пистолетов, один старый револьвер и даже гранатомет с двумя гранатами, который бросили незваные гости, появившиеся здесь уже в конце прошлого века и, казалось, навсегда растворившиеся в окрестных горах.

— Будьте осторожны, — посоветовал майор, — там двое приезжих. Может быть, они вооружены. Ризван, встань у дверей. Если я подниму руку, сразу стреляй, не раздумывая. Альберт, ты пойдешь со мной. Совсем близко не подходи, встань немного в стороне. Держи оружие наготове. Если они начнут стрелять, сразу падай на пол и отстреливайся.

Лейтенант и сержант были одеты в форму, и их появление должно было произвести впечатление на чужаков. Майор оглядел свое воинство. Три человека для задержания, недовольно подумал он. Сколько раз он просил прислать еще хотя бы одного сотрудника или дать еще одну штатную единицу, чтобы он мог взять к себе на работу одного из охотников! Хотя там обедает Аслан; если понадобится, на него тоже можно рассчитывать.

Втроем они вошли в зал ресторана. Увидев их, официант замер от испуга. Сержант встал у дверей, майор и лейтенант направились к обедающим. Оба парня подняли головы, глядя на приближающихся людей. Они явно испугались, это было видно по их лицам. Переглянулись.

— Я тебе говорил, что он из милиции, — быстро заметил первый. Среднего роста, черноволосый, подвижный, с мелкими чертами лица. Его можно было назвать даже красивым, если бы не резко очерченный подбородок. Второй был выше ростом, светловолосый, с небритой трехдневной щетиной. Оба были одеты в кожаные куртки, темные брюки и темные рубашки. На ногах у них были тяжелые ботинки, словно они готовились к походу по горным склонам.

— Здравствуйте, — холодно начал майор, подходя к столику незнакомцев, — не хотел вас отвлекать, но я должен проверить ваши документы. Покажите мне ваши паспорта. Только старайтесь не делать резких движений. Наши сотрудники вооружены, и у них очень плохие нервы. Они стреляют при любом резком движении.

— Не нужно стрелять, — попросил первый гость, — вот наши документы.

Он достал из кармана два паспорта и протянул их майору. Ильдус забрал оба документа, внимательно изучил. Рашит Мехтиханов и Караматдин Бараев. Одному двадцать пять, другому двадцать шесть. Фотографии на месте, все положенные знаки тоже, все вроде в порядке. Но что-то его насторожило. Он держал в руках паспорта, внимательно наблюдая за гостями. Один, более высокий, явно нервничает. Другой старается не показывать своего состояния, но тоже волнуется. Интересно, почему они так дергаются?

— Что вы делаете в наших местах? — уточнил Ильдус, все еще продолжая держать оба паспорта в руках.

— Едем в областной центр, — пояснил Рашит, — мы заблудились в горах и спустились к вам пообедать и отдохнуть.

— Отсюда до областного центра еще пять часов езды, — заметил майор. Что-то его по-прежнему беспокоило. Он смотрел на обоих гостей. Нет, оружия у них не может быть. Разве небольшие пистолеты за поясом. Или на ремне. Но почему они нервничают? И почему он не торопится возвращать им паспорта?

— Говорят, что в вашем городе есть хорошая гостиница, — заметил с улыбкой Рашит, — и называется она отель «Мечта». Мы думали остаться там на ночь.

Майор увидел усмешку на лице Орилина. И услышал чей-то сдавленный смешок за спиной. В этом городе все знали, кто опекает отель «Мечта» и является его фактическим хозяином. Может, поэтому многие рядовые граждане и особенно женщины мирились с его работой в городе, ведь этот бордель находился под контролем самого начальника городской милиции, который, конечно, не допустит никаких эксцессов и скандалов.

— Возьмите ваши паспорта, — протянул паспорта Ильдус. И вдруг увидел, как за обоими документами потянулся Рашит. Майор неожиданно понял, что именно его беспокоило. Почему оба паспорта были у одного из этой парочки? Ведь согласно элементарной логике паспорт каждого из них должен храниться у самого владельца. Но Рашит забрал оба паспорта и положил их в карман.

— Вы родственники или братья? — уточнил майор.

— Нет. Мы просто близкие друзья, — пояснил Рашит. Он посмотрел на себя и на своего напарника, пытаясь понять, что именно могло вызвать такую реакцию начальника милиции. И тоже понял.

— Я забрал его паспорт, чтобы он спокойно вел машину, — быстро сообщил Рашит, — мы вообще всегда храним документы в одном месте.

— У вас есть оружие? — спросил Ильдус.

— Нет, — ответил Рашит, улыбаясь, — можете нас обыскать и осмотреть нашу машину. У нас нет никакого оружия.

Кажется, он не врал. Здесь он был абсолютно спокоен. Его следовало отпустить. Но что-то мешало майору принять окончательное решение.

— Где вы работаете? — уточнил майор.

— В областном центре, на базе, — пояснил Рашит, — ремонтируем технику. У нас есть справка от нашей базы. Если хотите, я ее вам покажу.

— Не хочу, — ответил Ильдус, — не сомневаюсь, что и справки у вас в полном порядке. Когда вы собираетесь уехать?

— Завтра утром, — улыбнулся Рашит.

— Счастливого пути, — кивнул ему на прощание майор, — и лучше не испытывайте судьбу и не забирайтесь снова в горы. Там опасно, можете перевернуть даже такую машину, как ваша. До свидания.

Он повернул голову, увидев, что к их разговору прислушивается Аслан, сидевший за соседним столиком.

— Господин офицер, — услышал он за спиной голос Рашита и обернулся, — можно задать вам еще два вопроса?

— Какие вопросы? — спросил Ильдус.

— Почему вы не проверяете документы вот этого господина, который пришел позже нас? — показал Рашит на обедающего Аслана. Тот даже не повернулся. Его ружье стояло рядом с ним, прислоненное к стулу. Аслан продолжал сосредоточенно есть. — Он пришел сюда с оружием, а вы его не проверяете, нам даже обидно. Ведь у нас нет оружия.

Аслан наконец повернулся и холодно посмотрел на обоих гостей. У него были светлые глаза и русые волосы. Усы и борода тоже были светлыми. В этих местах встречались потомки древних аланов, которые были светловолосыми и зеленоглазыми.

— Мы его знаем, — сообщил Ильдус, стараясь не встречаться глазами с Асланом, — это наш местный охотник. И на ружье у него есть разрешение. А какой второй вопрос?

— Насчет отеля, — издевательски продолжал гость, — там действительно можно хорошо отдохнуть?

— Не знаю, — грубо ответил майор, — никогда там не отдыхал.

И пошел к выходу, уже не оглядываясь. Вместе с Орилиным они вышли из ресторана. За ним поспешил Максудов. Выйдя из ресторана, майор зло выругался.

— Нужно еще посмотреть, куда они пойдут, — сказал он, обращаясь к сержанту. Тот согласно кивнул.

В отделение Ильдус вернулся голодным и злым. Молчаливый Орилин шагал за ним следом, стараясь ничего не спрашивать. Когда они наконец вошли в здание милиции, лейтенант все же спросил, чуть понизив голос:

— Почему вы их подозревали?

— Они пугались при виде любого человека, входившего в зал ресторана, — пояснил Ильдус, — и сразу распознали во мне сотрудника милиции. Такая проницательность и нюх обычно бывают у преступников.

— Но они совсем молодые люди, — напомнил лейтенант.

— Поэтому еще более опасные. — Ильдус прошел к своему столу, недовольно посмотрел на него.

— Я пойду обедать домой, — неожиданно решил он, — а ты оставайся здесь. Я вернусь и отпущу тебя на обед.

— Хорошо, — кивнул лейтенант.

Майор пошел к выходу. Затем обернулся.

— Как у тебя с Алиной, — неожиданно спросил он, — все еще живете вместе?

— Нет, — ответил лейтенант, отводя глаза.

— Сколько раз я тебя учил не лгать, — добродушно произнес Ильдус. — Врать ты пока не научился и поэтому даже не пытайся. Если хочешь солгать, смотри прямо в глаза и не моргай. Тогда, может быть, тебе начнут верить.

— Я вернулся к себе, — сообщил Орилин, поднимая глаза, — сейчас живу у своей прежней хозяйки.

— И все? — иронично спросил майор. — Больше ничего не хочешь мне сказать?

— Нет, — с некоторой запинкой произнес лейтенант.

— Тогда я скажу. — Ильдус больно схватил своего подчиненного за левую руку и поднял рукав. Блеснули часы.

— Такие часы стоят несколько тысяч долларов, — заметил начальник милиции. — Насколько я знаю, никакого наследства ты не получал и таких денег не зарабатывал, даже если у тебя есть несколько «точек» в городе, с которых ты кормишься. Откуда такие часы?

— Подарок, — вырвал руку лейтенант.

— В таком случае расскажи, кто делает такие дорогие подарки, — издевательски спросил Ильдус, — может, мне тоже попросить о таком подарке?

— Попросите, — кивнул Орилин, — вам никто в этом городе не отказывает. Все готовы вручить вам свои подарки.

Это был уже вызов.

— Что ты хочешь этим сказать? — уточнил майор.

— Ничего. Просто не нужно ко мне придираться.

— Не нужно, — согласился Ильдус. Он сделал еще шаг по направлению к дверям, затем обернулся, в два шага покрыл расстояние между собой и своим подчиненным. И, подняв правую руку, схватил за горло Орилина, прижимая его к стене. — Часы. Откуда часы? Только правду. Кто тебе их подарил? Говори быстрее.

— Пусти, — хрипел лейтенант.

— Откуда часы? — снова требовательно спросил начальник милиции.

— Подарили! — закричал Орилин.

— Кто?

— Моя знакомая.

— Ясно. — Он ослабил захват, а затем прямо в упор спросил: — Это Лана Борисовна?

Орилин даже вздрогнул, словно майор умел читать мысли. Больше ничего можно было не спрашивать. Лейтенант выдал себя и этим своим неловким молчанием, и своим прежним враньем.

— Давно вы с ней сошлись? — спросил Ильдус, отходя от лейтенанта.

— Три недели назад, — выдохнул Орилин.

— Ты к ней переехал?

— Нет. Она нашла мне двухкомнатную квартиру рядом с ее домом. Просто я вам не успел сказать.

— Не успел или не захотел?

— Не успел.

— Ей тридцать восемь, а тебе двадцать пять. Поздравляю. Твои любовницы становятся старше с каждым разом. В следующий раз влюбись в мою тещу. Я отдам ее с хорошим приданым. Ей сейчас как раз под восемьдесят. Как называют людей, которые любят стариков? Ты у нас с высшим юридическим образованием, должен знать.

— Геронтофилы, — процедил лейтенант.

— Вот ты и есть такой геронтофил. Неужели она в постели лучше Алины? Никогда не поверю. Мне она казалось холодной и бесчувственной стервой. Или тебе нравятся именно такие? Тогда иди в отель «Мечта» и найди там Салиму. Говорят, что она умудряется делать все молча и с таким отвращением, что многие просто сбегают, не выдерживая ее презрительных взглядов.

— Я не обязан вам ничего говорить. Это моя личная жизнь.

— Не совсем. Она вице-мэр нашего города. А ты — сотрудник городской милиции. Знаешь, как называется наше городское отделение? Городской отдел внутренних дел. Мы — отдел города, понимаешь? А ты умудряешься отделывать вице-главу города. То есть вступаешь с ней в незаконные служебные связи. Значит, нужно уволить либо тебя, либо ее. Ее мы уволить не можем, значит, нужно выгнать тебя, — он явно издевался.

— Уже поздно, — усмехнулся Орилин.

— В каком смысле? — насторожился майор. Кажется, теперь становится понятным и внезапный отъезд мэра города, и сегодняшний разговор с Ланой Борисовной, и даже вся эта история вокруг отеля. Кажется, Орилин знает что-то такое, о чем еще неизвестно и самому Ильдусу Сангееву.

— Что значит поздно? — уточнил майор. — Только опять не лги. Объясни мне, что ты хотел этим сказать.

— Ничего. Я просто так сказал.

Майор вынул пистолет и, не раздумывая, направил его прямо в лоб лейтенанту.

— Кроме меня, некому кормить мою жену, тещу и еще семьи двух моих дочерей в Махачкале и Вильнюсе, — сообщил начальник милиции, — и терять мне нечего. Пистолет не зарегистрированный, мы всегда найдем преступника, который стрелял в тебя. А потом мы убьем и его, устроив тебе торжественные похороны за счет мэрии. А может, счет за твои похороны придет самой Лане Борисовне. Тебя радует такая перспектива? Быстро говори, что ты знаешь?

— Уберите пистолет, — облизнул губы Орилин. Он знал, что майор не шутит и может выстрелить, — просто Лана мне рассказала, что в городе нужно навести порядок. И прежде всего закрыть этот бордель, который нас всех позорит.

— Почему?

— Почему позорит? Вы сами не понимаете?

— Нет. Почему нужно закрыть именно сейчас? Почему раньше он позорил нас меньше?

— В город кто-то должен приехать. Я не совсем понял, кто именно.

— Это не причина. Отель можно просто закрыть на один день и подождать, пока гости уедут. Почему его нужно закрывать вообще?

— Не знаю. Правда, не знаю. Но думаю, что закрытие как-то связано с отъездом Эльбруса Казиева в областной центр. Он сегодня вечером должен вернуться. Можете все узнать у него.

Майор подумал немного и отпустил руку. Конечно, нужно было стрелять. И найти убийцу для такого случая. Этот молодой гаденыш явно метит на его место. Без году неделя здесь, а уже хочет быть начальником городской милиции! Нет, он еще не знает всех возможностей Ильдуса Сангеева. И никто не посмеет отобрать у него отель для какого-то непонятного интернет-клуба.

— Иди обедать, — предложил начальник милиции, — я передумал. Останусь у себя в кабинете.

— Спасибо. Только вы ничего плохого не думайте. Они говорили, что закрытие отеля будет и в ваших интересах, — сообщил Орилин.

— Пошел вон, — уже беззлобно прошипел Ильдус.

Лейтенант вышел из кабинета. Ильдус прошел к своему столу и устало опустился в кресло. Ему уже почти сорок девять. Скоро выгонят на пенсию. И он будет сидеть дома со своей старой тещей и получать свою нищенскую пенсию. Разумеется, отель к этому времени у него отнимут и никаких сборов у него уже не будет. Кто будет платить бывшему начальнику милиции, которого прогнали на пенсию? На нее он не только не сможет поехать к своим девочкам, увидеть своих внуков, — вообще не сможет жить на такие деньги. А начальником городской милиции назначат Орилина. Его высокопоставленная любовница добьется назначения Альберта на эту должность и даже выбьет ему еще несколько штатных единиц для работы в их отделе.

Ильдус мрачно посмотрел на улицу. Мимо проехал белый внедорожник. Сангеев поморщился. Кажется, это машина Мелентьева. Совсем старый автомобиль, скоро развалится. Альберт вроде сказал, что машину не захотели даже страховать. Она, по существу, уже ничего не стоит. Стоп. Но ведь воры выбрали именно эту машину. А в первом случае... Он порылся в бумагах, не найдя нужной, нажал на кнопку звонка, соединяющего его со вторым кабинетом. Потом вспомнил, что там уже никого не может быть. Сержант остался наблюдать за рестораном, а лейтенант только что ушел на обед. Коротко выругавшись, он достал рацию, вызывая Орилина. Тот ответил сразу, словно ждал этого вызова.

Какую машину ограбили в псрвом случас?

быстро спросил Ильдус. — Я имею в виду, у кого сняли магнитофон? Кажется, у Вахтадова?

— Правильно. Именно у него.

— У Вахтадова есть белая «Волга» и внедорожник «Джип Чероки»?

— Да, да, все верно. Но внедорожник совсем старый. Он уже начал гнить — кажется, выпуск конца восьмидесятых.

Вахтадов работал мастером на хлебопекарне. В молодые годы он был коком на морских судах, тогда-то и привез внедорожник, которому сейчас было уже двадцать пять лет.

— Два раза грабили внедорожники, — подвел итог майор, — но машина Вахтадова совсем старая. Она, по-моему, уже не на ходу.

— Вы сами приказали оформлять все подобные нарушения, — напомнил Орилин.

— Правильно сказал. Давай сделаем так. Потом пообедаешь. Срочно возвращайся обратно. Нам нужно переговорить.

ГЛАВА 5

Он убрал рацию, поднял трубку телефона, набрал номер хлебопекарни. Услышал голос директора Рубена Маркарова.

— Добрый день, Рубен Аршакович. Как у вас дела?

— Здравствуйте, — вежливо ответил директор, — все нормально. Как раз сегодня муку привезли. Хорошо, что теперь наладили поставки и мука приходит вовремя.

— Лучше не говорите, иначе сглазите. Скоро снег пойдет и дорога опять замерзнет.

— А мы теперь запас делаем. На три дня, чтобы не рисковать, — сообщил Маркаров. — Да и снега больше не будет, уже весна.

— Правильно делаете. Вахтадов сегодня вышел на работу?

— Конечно, вышел. Он у нас главный специалист.

— Можно его позвать к телефону?

— Сейчас позову, — директор кого-то окликнул.

Сангеев побарабанил пальцами по столу в ожидании повара. Наконец услышал знакомый голос.

— Добрый день, начальник. Чем могу быть вам полезен?

— У тебя ограбили машину.

— Да, верно. Но я просил вашего лейтенанта ничего не оформлять. Наверное, соседские дети играли, забрались в машину, вот и решили так похулиганить.

— И вытащили твой магнитофон, — рявкнул майор. — Что ты глупости говоришь? Где твоя машина стояла? Во дворе?

— Да, у меня во дворе.

— Они залезли ночью, и ты ничего не услышал? У тебя две собаки во дворе. Почему они не лаяли?

— Они спали, начальник. Кто-то подбросил им какое-то лекарство, и собаки уснули. Потом хулиганы залезли в машину, сняли магнитофон и убежали. Но вы не беспокойтесь. Моей машине уже двадцать пять лет, ей давно пора на свалку. А собачек я показал нашему ветеринару, с ними тоже все в порядке.

— Почему не сказал про собак, идиот? — закричал начальник милиции, теряя терпение.

— Они живы, — растерянно пробормотал Вахтадов, — им ничего не сделали. А машину все равно не смогли бы увести. У меня на воротах замок с секретом.

— У тебя голова с секретом, — зло заявил майор, — нужно было все рассказать лейтенанту!

— Я все рассказал. Он сам приехал и все оформил.

— А про собак почему не сказал?!

— Зачем? Они были уже в порядке.

«Дурак», — в сердцах подумал Ильдус.

— Ладно, — сказал он, — я все понял. Иди работай.

— Вы так не волнуйтесь, — попросил Вахтадов, — машина уже копейки стоила. И вообще в последнее время барахлила, не работала. Вам не следует так нервничать из-за этого случая.

Ильдус бросил трубку. Значит, два случая подряд. И в первом случае неизвестные воры рискнули залезть во двор, чтобы открыть внедорожник и забрать магнитофон. Их даже не остановили собаки, находившиеся во дворе. И они знали про собак, если смогли их нейтрализовать. И про неработающий магнитофон наверняка знали. А во втором случае ограбили машину Мелентьева и снова унесли магнитофон...

Дверь открылась, и в кабинет вошел лейтенант. Он криво усмехнулся:

— Опять по новой про ваш отель? Дом Вахтадова как раз на соседней улице. Я уже понял, что сегодня вы мне обедать не дадите.

— Ты ничего не понял, — махнул рукой майор, — я думал, что ты перспективный сотрудник, станешь со временем начальником городской милиции. А ты обычный болван.

— Что я опять сделал не так? — нахмурился Орилин.

— Я тебе много раз говорил, что офицер милиции обязан думать. Обязан размышлять, анализировать, делать выводы. Тебе сообщили о краже магнитофона из машины Вахтадова. Ты поехал и просто отбыл свой номер, зафиксировав эту кражу.

— Вы сами мне приказали.

— Я приказывал фиксировать все обстоятельства дела, а ты ограничился только протоколом о краже. Наверное, очень торопился.

— Ничего не понимаю, — растерянно произнес Орилин.

— Садись, — махнул рукой майор, — и научись слушать старших. Там была не просто кража.

— Можно переквалифицировать в грабеж, если там кто-то пострадал, — предложил лейтенант.

— Хватит демонстрировать свои юридические знания! Уже и так все ясно. Те, кто туда влезли, были не простые воры или грабители. Это были опытные люди, которые знали про собак Вахтадова. Они их усыпили, и обе собаки даже не проснулись, когда воры были во дворе. Понимаешь какое это было преступление? Сначала усыпили собак, а потом открыли внедорожник. То есть они заранее спланировали всю эту кражу. Это не просто обычные хулиганы-подростки.

— Откуда вы знаете про собак? — удивился Орилин — Вахтадов мне ничего про них не говорил.

— Он вообще не хотел ничего оформлять. Старая машина, которая ничего не стоит. Поэтому он думал, как бы поскорее отвязаться от тебя. А ты быстро все оформил и ушел. Наверное, на часы все время смотрел, на подарок нашего вице-мэра. Ты же видел собак во дворе. Нужно было задать элементарный вопрос, который мог задать любой, даже не будучи Шерлоком Холмсом: как могли собаки не почувствовать чужого? Как они могли не залаять, когда воры влезли во двор?

— Я не подумал про собак, — сокрушенно кивнул лейтенант, — а он мне ничего не сказал.

— Потому что мысли у тебя были в другом месте. Ты думал о том, как трахнуть нашу государственную власть, а не провести настоящее расследование, — зло заметил майор. — Считай, что получил от меня устный выговор. И вторую машину тоже взяли эти «специалисты». Нужно будет их обязательно найти. Наверняка их двое. Один должен быть из местных, чтобы показать двор, где находится машина Вахтадова, и рассказать про собак. А второй не местный. Специалист по ядам или по наркотикам.

— Откуда вы знаете, что собак усыпили? — тихо спросил Орилин.

— Вахтадов показал их ветеринару, и тот сразу все выяснил. Кстати, насчет ветеринара. У нас в город не приезжал какой-нибудь ветеринар, ты не слышал?

— Нет.

— Нужно будет проверить. Ветеринар, врач, аптекарь, что-то в этом роде. Нужно будет все проверить. Я позвоню в райздрав и узнаю, кто у нас мог появиться из этой публики.

— Но зачем грабить старые машины? — недоумевающе спросил лейтенант. — Я ничего не понимаю. Сами машины ничего не стоят, а их магнитофоны вообще можно выбросить на помойку.

— Воры так и сделают, можешь не сомневаться, — сказал майор. Он достал рацию и вызвал сержанта. — Что у тебя, Ризван?

— Все нормально. Сижу у тети Марго. Они еще там обедают.

— Номер машины можешь назвать?

— Конечно, могу, — сержант сразу назвал номер внедорожника «БМВ».

Майор записал номер, и перезвонил в областное ГАИ.

— Добрый день. Говорит майор Сангеев. Да, майор Ильдус Сангеев, начальник городской милиции.

Я хотел бы получить информацию по внедорожнику «БМВ». Можно проверить, не числится ли он в розыске?

Он назвал номер автомобиля и стал ждать, когда ему ответят. Посмотрел на лейтенанта.

— Вы думаете, что эти двое воровали магнитофоны? — не совсем понял его звонок Орилин.

— Эти двое только сегодня приехали в наш город, — хмуро пояснил майор, — воровал кто-то другой. А их машину я проверяю для порядка.

— Но зачем воровали магнитофоны? — не унимался лейтенант.

— Ничего не хочешь соображать, — постучал пальцами по лбу майор, — сейчас все объясню. Подожди немного. Алло, да, я слушаю. Значит не числятся в розыске? Я так и думал. Спасибо.

Он положил трубку, и затем снова поднял ее, перезвонив в управление уголовного розыска УВД.

— Майор Сангеев говорит. Кто это? Здравствуй, Бахрам. Очень приятно тебя слышать. У меня тут двое гостей появились залетных. Может, сумеешь проверить? Рашит Мехтиханов и Караматдин Бараев. Посмотри по своей картотеке. Да, я понимаю, что минут сорок, но я могу подождать. Ты мне перезвони, я на своем месте. Спасибо, Бахрам, ты меня всегда выручаешь.

Майор положил трубку и посмотрел на Орилина.

— Кто-то готовится к крупной игре, — пояснил

он. — Сегодня нам нужно составить списки всех слесарей в городе, всех тех, которые могли бы помогать залетному специалисту вскрывать машины. Они «тренировались» на этих внедорожниках. Понимаешь, что они делали? Выбирали самые старые машины, вскрывали их и забирали магнитофоны. Это чтобы научиться быстро удалять спутниковую систему слежения на автомобилях, если она там установлена. Кто-то не просто вскрывал машины, а именно тренировался на них. Не удивлюсь, если мы найдем оба магнитофона в каком-нибудь мусорном ящике.

— Тогда нужно искать «специалистов», — понял лейтенант.

— Не только их. Но и подумать про наши внедорожники. У нас в городе их довольно много. У охотников есть, у руководителей разных — вон, и у твоей Ланы тоже имеется. Штук тридцать или сорок, нужно точно посчитать.

— И установить у каждого охрану из двух милиционеров. Как раз я и сержант. Будем бегать по городу, — усмехнулся Орилин.

— Ты у нас еще и шутник. Разгильдяй, альфонс и шутник. Слишком много для одного человека.

— Я не альфонс, — покраснел Орилин, — она сделала мне подарок на мой день рождения.

— Тогда конечно. И ты его взял. Знаешь, сколько такие часы стоят? Несколько тысяч долларов. Любой проверяющий из областного УВД, когда приедет сюда, сразу спросит меня про эти часы на твоей руке. Откуда в нашем бедном городе молодой офицер с такими часами? Посмотри на мои часы. Они стоили раньше сорок пять рублей. Вот я их столько лет и ношу.

— Сейчас другие времена...

— Это ты скажешь проверяющим. А пока не забудь, что эти часики могут погубить твою карьеру. Если тебе нравится, то ты, конечно, можешь их носить. Только когда будешь ездить в областное УВД, надевай свои старые часы. И когда приедут проверяющие, тоже не выпендривайся. Это не тот случай.

— Я вас понял, — кивнул лейтенант.

В этот момент зазвонил телефон. Майор снял трубку.

— Да, Бахрам, это я. Слушаю тебя. У Бараева две судимости? Я так и думал. Обе погашены. Понятно. Сколько он сидел в общей сложности? Четыре года. Понятно. А другой? Нет, я не понял. Ага, значит, успел наследить и у вас. За драку арестовывали... И сколько ему дали? Пятнадцать суток. А второй раз? Попал под амнистию. Да, я понимаю. Понятно. Все понятно. Спасибо, Бахрам, ты меня всегда выручаешь.

— Вот так, — удовлетворенно сказал он, закончив разговор, — эти наши гости не зря так нервничали, когда я вошел. Оба уже «матерые волки». Они чувствуют офицеров милиции на расстоянии, как хищные звери.

— Будем арестовывать? — спросил Орилин.

— За что? — спросил Сангеев. — Они ничего плохого еще не успели сделать. Оба пока чистые. Один дважды судимый, свое уже отсидел; другой попал под амнистию. На них ничего нет.

— Нужно посмотреть, как они поведут себя в отеле, — предложил лейтенант.

— Ты про отель забудь, — посоветовал ему начальник милиции, — это моя личная проблема. Ты же знаешь, что мы вместе с хромым Назаром приватизировали это здание. Поэтому об отеле не думай. Назар человек умный и опытный; если понадобится, он сам все дела уладит и с гостями поговорит. Там как раз все будет в порядке.

— Как хотите, — пожал плечами лейтенант.

— У нас с тобой еще полно дел. Нужно выяснить, кто мог появиться в городе за последние дни. Ты поезжай в больницу и все там проверь, а я позвоню в райздрав.

— А насчет «местного» специалиста? — напомнил Орилин. — Его тоже нужно вычислить.

— С этим как раз легче, — сказал Ильдус, — у нас таких только трое. Один школьник, он как раз сейчас десятый заканчивает. Парень любой замок на спор открывает. Я сам видел, просто уникальный специалист. Если бы у нас были банды, они бы ему любые деньги платили. Это сын Магеррама.

— Я его отца знаю. Он ведь заведующий складом, где хранят кожу.

— Верно. Солидная семья, мальчик не стал бы помогать жуликам. Второй претендент — слесарь Петр Станиславович Карпатов. Раньше настоящий специалист был, просто «золотые руки». Но он сильно пьет, постарел. Сейчас руки не те, уже дрожат. Хотя сравнительно молодой, ему чуть больше сорока. Он живет один, жена от него давно ушла, и Карпатов постоянно нуждается в деньгах.

— Может, это он? Ему пообещали деньги, вот он и пошел на такое дело.

— Нужно проверить. А третий работает вместе с нашим другом Тедо в его кооперативе. Он как раз заклепки делает на ремешки. Говорят, что хороший специалист. Я к нему, правда, пока не обращался. Владлен Семенов. Ему тридцать пять. Отец был заведующим отделом пропаганды нашего горкома, вот он и дал такое имя своему сыну. Владлен — значит Владимир Ленин. Наверняка был убежден, что советский режим — это навечно, а парню с таким именем гарантирована карьера. Откуда ему было знать, чем все это закончится. Владлен у нас даже секретарем комсомольской организации был. А потом все лопнуло, его папа от инфаркта умер еще в девяносто шестом, а Владлен, так и не закончив институт, вернулся в наш город. Говорят, что он действительно хороший специалист.

— Один из троих, — понял лейтенант, — а вы на кого думаете? Может, это Владлен или сын Магеррама? Мальчики из состоятельных семей часто бывают такими невоспитанными эгоистами. Может, решил таким образом насолить своему отцу, который давал ему мало денег? Как вы считаете?

— Не знаю. Но пока больше никто мне на ум не приходит. Только эти трое. Нужно будет проверить всех троих. Переговорить с каждым. Но сделать так, чтобы не спугнуть, иначе его напарник из «залетных» может отсюда уехать, а мне ужасно хочется узнать про их «тренировки» и понять, зачем им нужны внедорожники. Подожди, подожди, кажется, у меня есть более конкретный подозреваемый. Карпатов ведь работает в мастерской при хлебокомбинате, значит, лично знаком с Вахтадовым, может, даже дома у него бывал и собаки его запах знали. Поэтому спокойно позволили их покормить.

Он в очередной раз поднял трубку, снова набрал номер директора хлебокомбината.

— Рубен Аршакович, извините, что снова вас беспокою. А ваш слесарь Карпатов сегодня на работе?

— Лучше не спрашивайте, — сердито ответил Маркаров, — он опять ушел в запой. Уже четвертые сутки на работу не выходит. Просто не знаю, что с ним делать. Специалист он, конечно, очень хороший, но такие «перерывы» нас не устраивают. Придется его увольнять, пусть только выйдет на работу.

— А с Вахтадовым они не знакомы?

— Знакомы, конечно. У нас Карпатова все знают. Если бы он не пил, то таким специалистом мог бы стать. Вы даже не представляете, какие у него руки, какой глаз. И так загубить свою жизнь этой проклятой водкой.

— Действительно глупо, — согласился майор, — до свидания.

— Что-нибудь передать Карпатову, когда он на работе появится?

— Нет, ничего не нужно. — Сангеев взглянул на лейтенанта: — Все понял?

— Они были знакомы?

— Да. Я к нему сам поеду.

— Это рискованно, — возразил Орилин, — а если приехавший «специалист» тоже у него?

— Никогда в жизни, — уверенно ответил майор, — я дом Карпатова хорошо знаю. Он у нас в центре на Советской живет. В левой части дома две комнаты занимает. А в правой в трех комнатах его соседи живут. Если бы у Карпатова появился чужой, они бы сразу его увидели. Поэтому я ничем не рискую. Поеду к нему, поговорю. Я все думаю о его напарнике — если, конечно, машины вскрывал Карпатов. Судя по всему, они уже наметили, какую следующую машину им следует взять. У кого новые внедорожники?

— У нашего вице-мэра совсем новый, — немного покраснел Орилин, — у Халима Казиева тоже новый. У вас в хорошем состоянии.

— Ко мне, надеюсь, они не полезут, — усмехнулся майор.

— Тогда не знаю. Еще хорошая машина у Маркарова. Он ее в прошлом году купил. Машина, правда, не новая, но очень хорошая. Внедорожник американский.

— Да, я тоже помню. Значит, вариантов много. Лучше начать проверять людей, чем машины, иначе запутаемся. Иди в больницу, не задерживайся. Потом зайдешь в поликлинику. В райздраве могут не знать, кто приезжал к нашим врачам, а в больнице и в поликлинике все сразу расскажут.

— Прямо сейчас пойду, — кивнул лейтенант.

— А я поеду к Карпатову. Поговорю с ним. Нужно вызвать машину.

В городе раньше функционировал таксопарк, где было более двух сотен такси. Но с годами пассажиров стало меньше и таксопарк приватизировали. Сейчас в нем оставалось только десять побитых старых машин советского производства. Говорили, что таксопарком владеет Халим Казиев, который якобы заказал новые машины в Турции. Но они до сих пор так и не появлялись в городе. Когда срочно нужна была машина, звонили в таксопарк и вызывали автомобиль. По договоренности с мэрией все эти вызовы оплачивались из местного бюджета, чтобы помочь местным блюстителям порядка. К тому же Халим был родным братом мэра, и на подобные операции списывались большие деньги.

Лейтенант быстро вышел из кабинета. Ильдус увидел, как он почти бегом идет по направлению к больнице. Сангеев вызвал машину из таксопарка, Советская была в другой стороне города. Это был депрессивный район, где теперь почти никто не жил. Раньше рядом стояла обувная фабрика, которую сожгли и запах от пепелища которой еще долго стоял в этих местах.

Проверив оружие, Ильдус вышел из своего кабинета, закрыл дверь. Рацию он тоже захватил с собой, ожидая сообщений от своих сотрудников. Три человека на весь город, в который раз огорченно подумал майор. Нужно было давно выбить несколько дополнительных единиц. Хотя по штатам у них числится даже пять человек: два офицера, сержант, секретарь-машинистка и уборщица. Но на оперативные задания шестидесятилетнюю уборщицу не пошлешь и девочку-секретаря тоже не вызовешь. Вот и приходится им управляться втроем. Правда, до недавнего времени все было нормально.

Шофер такси весело кивнул начальнику милиции, когда тот сел рядом с ним на переднее сиденье. Шофер был молодым человеком, только недавно вернувшимся из армии. Ему нравилась и его работа, и жизнь в этом городе. Он собирался скоро жениться. и поэтому мир казался ему прекрасным. На все его попытки заговорить Ильдус или вообще не отвечал, или только мычал в ответ. Водитель понял, что начальник сегодня не в настроении. До Советской они доехали быстро, минут за десять. Приказав водителю ждать, Ильдус вышел из машины. На всякий случай обошел дом. Соседями Карпатова были сотрудники хлебокомбината. Сосед работал водителем, а его жена пекла хлеб в цеху, двое детей учились в школе. Майор подумал, что он знает в этом городе даже каждую собаку. Он обошел дом, оказавшись на той стороне, где жил Карпатов, и постучал в окно.

— Петр Станиславович, — позвал он хозяина.

Карпатова все называли по имени-отчеству, несмотря на возраст. Он был не просто слесарем с высшим образованием, но и настоящим мастером своего дела, бескорыстно помогал многим людям. В городе было много квартир, двери которых он вскрывал без потерянных или забытых ключей. Деньги он никогда не брал, а вот «борзыми щенками» принимал — ему давали бутылки водки, которые он охотно брал, постепенно и окончательно спиваясь.

— Петр Станиславович, — снова позвал Ильдус, постучав сильнее. Но ответом было молчание.

Сангеев подошел к дверям и позвонил. Опять прислушался. За дверью было тихо. Неужели он куда-то ушел? Обычно запойные люди предпочитают в таких случаях оставаться дома. Или он где-то свалился и спит. Сангеев толкнул дверь. Она легко поддалась. Так и есть. Наверняка ушел и сейчас где-то отсыпается. Майор вошел в небольшой коридор. Посмотрел на вешалку, увидел тумбочку с инструментами. Нужно уходить и ждать, пока Карпатов наконец выйдет на работу. Уже больше для порядка, чем рассчитывая найти хозяина, он заглянул в комнату. Там никого не было. Стол был застелен белой скатертью. Аккуратно расставлены стулья.

Майор повернулся, чтобы уйти. Хотя нужно еще посмотреть и в спальной комнате. На всякий случай. Он вошел в спальню, чтобы взглянуть и сразу уйти. Кровать была застелена желтовато-зеленым покрывалом. Было заметно, что здесь уже несколько дней никто не спал. Сангеев повернулся, чтобы уйти, когда увидел торчавший из-за кровати ботинок. Он замер, потом, обойдя кровать, встал с другой стороны.

На полу лежал Петр Станиславович Карпатов. Судя по застывшим бурым пятнам, он был убит уже давно, возможно, несколько дней назад. То, что он был убит, не вызывало никаких сомнений. На голове зияла большая рваная рана. Майор присел на корточки и дотронулся до тела. Оно было холодным.

— Вот такие дела, — негромко произнес Сангеев, обращаясь к самому себе, — поздравляю всех нас. У нас теперь произошло настоящее убийство.

ГЛАВА 6

Остывшее тело Карпатова лежало перед Ильдусом. По закону он теперь должен составить протокол и вызвать из областного центра сотрудников прокуратуры и следственного комитета, которые имеют право проводить дальнейшие процессуальные действия. Надо бы еще пригласить врача, который даст заключение о смерти слесаря. И все это нужно сделать сегодня. Он задумчиво смотрел на убитого. Сообщить в прокуратуру, не поставив в известность мэра города? Эльбрусу Казиеву это точно не понравится. Испортить такую статистику! Умышленное убийство ляжет позорным пятном на город, а если убийцу не найдут, то у них будет стопроцентная нераскрываемость тяжких преступлений. На всех совещаниях и конференциях будут говорить о плохой работе городского отдела милиции. Ведь главное не реальные результаты, а статистика.

Сангеев выпрямился. До того как вернется мэр города, никому нельзя сообщать об этом убийстве. Нужно, наконец, разобраться, чего именно хочет Эльбрус Казиев, решивший отобрать гостиницу у начальника милиции. Почему он не позвонил ему по телефону? Почему вызвал Назара и поручил такой важный разговор своему заместителю? Нужно немного подождать. С мертвым ничего страшного уже не случится. В конце концов, Ильдус мог и не заметить убитого. Вошел в квартиру, крикнул, позвал хозяина, осмотрелся и вышел. Необязательно входить в спальную комнату и обходить кровать. Тем более что мертвец уже лежал здесь несколько дней. Значит, может полежать еще немного.

Сангеев вышел из спальни, прошел в коридор. Нужно найти ключи и закрыть двери. Почему этого не сделал убийца? Получается, что очень торопился. Как бы ни торопился, мог найти ключ и закрыть входную дверь. Почему все-таки не сделал? Ну да, все понятно. Он приходил сюда ночью и не захотел включать свет, на который могли обратить внимание соседи. Майор открыл дверцу платяного шкафа, которая предательски скрипнула. В кармане пальто лежали ключи от квартиры. Он взял ключи и вышел из квартиры, закрыв дверь на оба замка. Пусть никто пока не знает, что здесь случилось. Нужно спокойно разобраться. Следователи все равно не будут знать местную обстановку лучше его.

Сангеев прошел к ожидавшему его такси и приказал отвезти его обратно на работу. Уже сидя в машине, достал рацию, вызывая сержанта.

— Что у тебя происходит?

— Они закончили обедать и поехали в гостиницу, — сообщил Ризван, — сейчас их машина припаркована к «Мечте».

— Чего они туда поперлись? — в сердцах бросил майор. — Еще все равно рано, и там никого не будет. Хотя черт с ними, пусть сидят в баре. Так даже лучше.

— Что мне делать?

— Ничего. Лучше позвони своей жене и спроси, не было ли у них за последнее время кого-нибудь по их части из соседнего города или из области. Ты меня понял? Позвони и узнай.

Он закончил разговор и почти сразу вызвал Орилина.

— Где ты сейчас?

— В больнице, — сообщил лейтенант, — никого чужих не было. Никто к нам не приезжал. Работали только свои.

— Ясно. Зайди в аптеку, узнай, не приезжал ли кто-нибудь туда. Может, кто-то заказывал лекарства, например, сильное снотворное. Ты не знаешь, как действует человеческое снотворное на собак?

— Не знаю, — ответил Орилин.

— Вот и я не знаю, — признался майор. — Ладно, проверь все в аптеке.

— А я знаю, — вмешался водитель такси, — на собак еще сильнее действует, чем на людей. Мне однажды пограничники рассказывали, кинолог знакомый. На собаку какое-то иностранное снотворное очень быстро подействовало. Чуть не отравилась.

— Ты машину веди, — посоветовал ему Сангеев, — и не нужно вмешиваться в наши разговоры.

Водитель обиженно замолчал. Машина подъехала к зданию милиции. Ильдус вышел, кивнув на прощание, и водитель уехал, даже не обернувшись. Возможно, все-таки обиделся. Входя в здание, Сангеев усмехнулся. Если он прав, то убийцей мог быть этот неизвестный отравитель. Но машину Мелентьева погибший Карпатов точно не вскрывал. Тогда зачем нужно было его убивать? Похоже, что убийца сначала пришел к Карпатову и предложил сотрудничать с ним — ведь весь город знал, каким специалистом был Петр Станиславович. Возможно, Карпатов отказал, и тогда убийце ничего не оставалось другого, кроме как нанести свой удар. Тогда получается, что убийца нашел себе другого напарника. Кого? Если рассуждать логично, то это может быть сын Магеррама. Мальчик привык к дорогим вещам, может, вообще считает все происходящее шуткой. Владлен в два раза старше и опытнее. Он бы сразу понял, в какую авантюру его втягивают. Нужно будет проехать в семью Магеррама, поговорить и с отцом, и с сыном.

Ильдус прошел в туалет, тщательно помыл руки. Вернулся в свой кабинет. Вспомнил, что сегодня вообще не обедал, но есть совсем не хотелось. Он посмотрел на часы — уже четвертый час дня. Интересно, когда вернется мэр? И, словно услышав его вопрос, раздался резкий звонок красного телефона. Он даже звонил как-то по-особенному. Сангеев быстро снял трубку.

— Здравствуй, Ильдус, — это был голос мэра.

— Здравствуй, Эльбрус, — когда-то они были даже друзьями, в далекой молодости.

— Я только сейчас приехал, — сообщил мэр, — и как раз решил тебе позвонить. Все-таки это безобразие, что мы не можем наладить работу мобильной связи в нашем городе.

— Нужно устанавливать антенны в горах, — напомнил Сангеев, — а техники считают, что это почти безнадежно. У нас такие ураганы бывают, снесут любую антенну.

— Это я и без тебя знаю, — раздраженно заметил мэр. — Ты один?

— Да, Куляш сегодня осталась с отцом.

— Знаю, знаю. Поэтому и спрашиваю. Я сейчас к тебе приеду.

— Приезжай, — согласился начальник милиции. Если мэр сам решил его навестить, то дело совсем плохо. За последние два года он заходил сюда только один раз, да и то когда обходил город. Ильдус оглядел свой кабинет, собрал папки на столе в одну стопку, убрал ручки и карандаши, сдвинул в сторону пыльные книги, поправил мундир, висевший в шкафу. И снова уселся на свое место, глядя в окно. Когда подъедет машина мэра, он ее увидит. Эльбрус приобрел за свой счет черный «Мерседес» и теперь повсюду ездил на нем. Его водителем был пожилой аварец, который работал еще в горкоме партии при Салиеве.

Через десять минут «Мерседес» мягко затормозил около здания милиции. Ильдус поднялся, чтобы встретить гостя в дверях. Он успел выйти только в коридор, когда увидел спешившего к нему мэра. Они обменялись рукопожатиями.

— У вас ничего не изменилось, — сказал Эльбрус, оглядывая помещение.

— Ремонт давно нужен. Штукатурка сыплется, — заметил Сангеев.

— В следующем году выделим деньги из городского бюджета, — кивнул мэр, — мне как раз удалось немного денег выбить на реконструкцию старых зданий.

Они прошли в кабинет начальника милиции и сели на стулья, стоявшие у стола.

— Извини, — сказал Ильдус, — никого нет. Все на заданиях. Даже чай некому принести.

— Ничего страшного. Обойдусь без чая. С тобой Лана сегодня уже говорила?

— Вызывала...

— А вчера перед отъездом я успел Назара предупредить. Три раза тебе звонил, но ты свой городской телефон отключил.

— Ты же знаешь, что мать Марьям совсем сдала в последнее время. Вот поэтому и отключил, чтобы они немного отдохнули.

— Не боишься телефон отключать? Вдруг тебя искать начнут? У нас ведь нет мобильных телефонов.

— Зато рация есть. У всех наших сотрудников. Если понадобится, меня сразу найдут, не беспокойся.

— Вот поэтому я до тебя вчера и не дозвонился.

— И поручил Лане сообщить мне о гостинице? Отнять захотел?

— Нет. Почему отнять? Мы говорили только об аренде. Будешь получать арендную плату от города за использование твоего объекта.

— Сам знаешь, куда нужно засунуть эту аренду. Ты меня дураком считаешь? Почему я должен согласиться? Это единственный объект в городе, который нормально работает. И с которого можно получать деньги. Между прочим, деньги и тебе тоже идут.

— Не ори, — попросил мэр, — не нужно кричать. Я знаю и про твой «объект», и про деньги, которые ты получаешь. Только ты не знаешь о том, о чем мне давно говорили в областном центре. Поэтому посиди спокойно и выслушай меня. Ты знаешь, сколько у нас раньше людей жило в городе?

— Я здесь родился, — разозлился Ильдус.

— Я тоже, — парировал мэр, — ты меня слушай и не перебивай. Сейчас у нас осталось чуть больше четырех тысяч. Превратились в настоящий поселок. А скоро вообще станем деревней. Молодые отсюда уезжают, никто не хочет оставаться, ты это лучше меня знаешь. И возвращаться сюда тоже никто не хочет. У нас даже мобильные телефоны не работают.

— Кому нужна твоя агитация? Ты решил подумать о нашей молодежи и отнять у меня гостиницу? В жизни не поверю, что ты у нас такой благородный.

— Хватит, — перебил его мэр, — при чем тут благородство. Ты не хочешь меня слушать. В общем, город медленно умирает. Конечно, интернет-клуб нужен, но его можно было открыть где-нибудь в другом месте. Например, переоборудовать одну из закрытых школ. У нас раньше было четыре школы, а сейчас только две.

— Правильно. Там четыре этажа, можно такой клуб сделать.

— Нельзя, — жестко сказал Эльбрус, — нужно твою клоаку закрыть и всех твоих девиц разогнать.

— Почему? Чем они тебе мешают? Когда мэром не был, сам туда ходил.

— Ходил, — кивнул мэр, — а сейчас время изменилось. Другое время, Ильдус, другой век. Раньше везде бардак был, а сейчас в центре и на местах твердая власть устанавливается. Снова порядок возвращается.

— Не для наших мест.

— И для наших мест тоже. Ты насчет границы вспомни. Мы даже не знали, где она проходила. А сейчас там проволоку натянули, столбы всякие поставили, пограничники дежурят с собаками.

— При чем тут пограничники и моя гостиница?

— Подожди, потерпи. Граница от нас в семидесяти километрах. А соседний город в ста двадцати. Значит, от него до границы почти двести километров. Очень неудобно. Ведь пограничники связаны с работой Федеральной службы безопасности. Раньше КГБ называли, и все боялись этих трех букв.

— Сейчас тоже боятся, — кивнул Ильдус.

— Сейчас начали бояться. Вот поэтому я к тебе и пришел. В областном центре принято решение о переносе районного отдела ФСБ из соседнего города в наш. Мне приказали почту к себе перевести в здание мэрии, а им выделить часть твоего здания. И деньги дают на реконструкцию. Теперь понимаешь?

— Они к нам переедут?

— Весь отдел. Шесть чекистов. Шесть офицеров. Приедут к нам через месяц. Говорят, что нужно укреплять границы и вообще обратить внимание на наши горы. Там опять банды стали появляться. Особенно их тревожат гости с запада. Два раза уже уходили от преследования через наши горы. Банда Малика Кулмухаметова. Да и на границе не все спокойно. В общем, в областном центре уже приняли решение. Сначала сюда переведут городское отделение ФСБ, а потом и таможенников.

— Зачем нам столько чужих?

— Нас не спрашивают. Это решено в Москве. Как только мне вчера сказали, что решение принято, я сразу подумал о твоей «Мечте». Чекисты люди въедливые, противные, мимо такого объекта спокойно не пройдут. Все дотошно проверят и выяснят, что бордель в нашем городе держит сам начальник милиции. Как ты думаешь, сколько времени после этого ты будешь носить свои погоны? И как долго я смогу усидеть в кресле мэра?

Ильдус молчал. Он начал понимать мотивы главы городской власти. Кажется, тот был не так уж не прав.

— Зачем нам такой отель, который будет приносить только головную боль? — спросил Эльбрус. — Или тебе надоела твоя должность? Хочешь на пенсию? Но даже там они тебя достанут. Я долго об этом думал. Сам понимаю, что твоя гостиница тебе живые деньги дает. Да и людей скоро будет больше. Но оставлять ее нельзя. Весь город знает, кто опекает отель, — даже, по-моему, твоя теща знает. Нужно закрывать «Мечту», Ильдус, у нас просто нет другого выхода. А так, если дело пойдет, тоже будешь получать живые деньги.

— Копейки, — мрачно заметил Сангеев.

— Сначала копейки, а потом люди втянутся. И ты начнешь получать хорошие деньги. Я тебе за аренду буду платить. В общем, не пропадешь. Твоего Назара можно пристроить директором интернет-клуба. Оставим Сашу в качестве бармена, а твои девицы будут работать сотрудницами клуба. В общем, все наладим.

— Не нравится мне твое предложение, — вздохнул майор.

— Мне оно самому не нравится. Если бы прислали одного чекиста, мы бы с ним постарались договориться. Но пришлют шестерых. А они люди принципиальные, сам знаешь.

— Шестерых тоже можно купить, — меланхолично заметил Сангеев, — только денег никаких не хватит, сразу шестерым платить.

— Сам говоришь — и сам себя опровергаешь. Не все покупается, Ильдус, и не все продается. Есть люди, которые не продаются. Согласен, что их мало, но они всегда есть. У нас Магомед Салиев таким был. Помнишь, наверное. За всю жизнь ни копейки ни у кого не взял. Иногда такие встречаются. Глупые праведники и святоши. Или дураки. Хотя ты сам был недавно дураком, когда жену Аскена пытался выкупить у судьи. Мне ведь все известно. Мы тогда дали тебе пять тысяч, а ты бегал по городу, у всех богатых людей деньги собирал. И еще свои доложил. Сколько ты доложил? Около тысячи?

— У тебя хорошо поставлена служба информации.

— Решил стать в конце жизни праведником, — добродушно усмехнулся Эльбрус, — думаешь в рай попасть? Ты, конечно, правильно сделал, что несчастной женщине помог и двух детей без родителей не оставил. Но ведь и твой добрый поступок был аморальным. Дал деньги судье... Это даже не аморальный поступок, это самое настоящее преступление. Уголовное преступление, уважаемый начальник милиции.

— Да, — сдержанно согласился Сангеев, — я добавил свои деньги. Но я знал, что она не виновата.

— Нужно было требовать справедливости, а ты пошел кривым путем. Ну, Бог тебе судья. Некоторые хотят в рай окольным путем попасть. Только праведников почти не осталось.

— Осталось, — неожиданно произнес Сангеев. — В области судья есть, который денег не берет. На него пальцем все показывают, считают сумасшедшим придурком. А он принципиально не берет.

— Почему не берет? Ему деньги не нужны?

— Наверно, нет. Говорят, что у него единственный сын погиб в автомобильной катастрофе. Вот тогда он поехал в мечеть и поклялся на Коране никогда больше не брать денег. Вообще ни с кого.

— Ну, это особый случай. Не нужно нам таких переживаний, — мудро рассудил мэр.

— А я все время о нем думаю, — признался Сангеев, — ему ведь в рай совсем не хочется. Он в другое место хочет попасть, чтобы сына увидеть еще раз. Может, в чистилище, может, в ад. Не знаю куда, только не в рай.

— Ты у нас философом стал, — добродушно произнес мэр. — В общем, мы договорились. Начинаем эвакуацию твоего заведения. Постепенно, без шума. Сначала закроемся на ремонт. Потом уберем бар. В общем, сделаем все, как нужно. У нас тихий город, пусть таким и остается.

Мэр поднялся, чтобы уйти.

— Уже не тихий, — возразил Сангеев, продолжая сидеть на стуле.

— В каком смысле? — обернулся мэр.

— У нас убийство произошло. Умышленное убийство.

— Только этого еще не хватало! — Казиев снова уселся на свое место. — Кого убили?

— Петра Станиславовича.

— Этого слесаря? Карпатова? Тогда ничего страшного. Наверное, опять напился и что-то такое брякнул. Кто его убил?

— Он не напился. Убийца вошел к нему в дом и

нанес сильный удар по голове. Есть предположение, что он предлагал Карпатову сотрудничество, но Петр Станиславович отказался.

— Еще один праведник, — нахмурился мэр. — Кто это сделал?

— Пока не знаю.

— А где убитый?

— У себя дома. Я дверь запер, ключи у меня.

— Правильно сделал. Не нужно поднимать шума. Найдите убийцу, не дергая наших людей. Не нужно их нервировать. Ты ведь всех знаешь в городе, быстро найдешь того, кто это сделал.

— Мы предполагаем, что это был какой-то «залетный».

— Тогда тем более не нужно распространять панику и из-за одного пьяницы держать в страхе весь город. Может, убийца уже давно сбежал, а мы будем всех нервировать.

— Я обязан сообщить в прокуратуру об убийстве.

— Если обязан, то сообщай. Только на старости лет сам не становись праведником. Все равно в рай тебе уже не попасть. Даже с учетом помощи вдове Аскена. Грехов у тебя много, майор. — Он снова поднялся. — Поступай как хочешь, только сегодня не вызывай прокуроров. Уже поздно, пятый час дня. Пока они приедут и начнут работу, будет ночь. Они нам нормально спать не дадут. Из-за вечно пьяного слесаря не стоит поднимать такого шума. Позвони завтра утром. Пусть приезжают.

— Я тоже так подумал, — согласился Ильдус, поднимаясь со стула.

— Ты умный человек, — пожал ему руку на прощание Эльбрус Казиев, — я знаю, что на тебя всегда можно положиться. А насчет гостиницы не беспокойся. Сделаем все, чтобы компенсировать твои потери. Это и в моих интересах. До свидания.

Сангеев проводил мэра до машины и вернулся к себе в кабинет. Конечно, Казиев прав. Если сюда переводят целое отделение ФСБ, то оставлять такую гостиницу в городе нельзя. И, судя по всему, в ближайшее время придется действительно закрывать «Мечту». А деньги ему нужны. Если умрет теща, придется приглашать весь город на поминки. Даже если не приглашать, то все равно сами придут. Он решил позвонить супруге.

— Марьям, как чувствует себя твоя мама? Врачи пришли?

— Да, они уже были. Сделали ей укол. Говорят, что она угасает. Может, завтра или послезавтра. Ты когда придешь домой?

— Скоро, — пообещал он, — не беспокойся. Я постараюсь прийти пораньше.

— К нам Рафига Нуриевна заходила, — сообщила жена, — она сегодня урок вместо меня провела. Такая благородная женщина. И еще завтра возьмет мой урок. С нашим стажером договорилась. Он перебросит свою химию на завтра, чтобы шестой урок не был пустым.

— Спасибо им всем. — Он хотел положить трубку, но передумал: — Подожди — какой стажер? У вас новый учитель по химии?

— Я тебе говорила, но ты все забыл, — напомнила Марьям. — Он приехал из области неделю назад. Мы все еще удивлялись, что он в таком возрасте и еще стажер. Ему двадцать девять лет. Но потом директор школы позвонила в областное управление образования, и мы узнали, что он нигде не работал. Сразу после окончания института совершил автомобильный наезд и попал в тюрьму. Он нам сам рассказал об этом. Такая несчастная жизнь. Отсидел восемь лет и только недавно вышел из тюрьмы. Его взяли на работу стажером, учителей химии все равно не хватает. И он сам к нам попросился на практику.

— Почему ты мне об этом не рассказывала? — спросил пораженный Сангеев.

— Я тебе рассказывала. Но как только я начинаю говорить, ты сразу засыпаешь и уже ничего не слышишь.

— Как его зовут? Как его фамилия?

— Масимов. Салман Масимов.

Он сразу дал отбой. Позвонил в областной центр. Дважды набор срывался, так сильно нервничал Сангеев. Наконец он дозвонился до управления уголовного розыска.

— Бахрам, извини, что я тебя опять беспокою. Мне срочно нужна информация на Салмана Масимова. Ему под тридцать лет, и он числится преподавателем-стажером. Только очень срочно.

— Перезвони через десять минут, — предложил Бахрам.

Сангеев схватил рацию, приказав обоим сотрудникам срочно возвращаться обратно на работу. Ровно через десять минут он срывающимися от волнения пальцами набрал номер Бахрама.

— Твой Масимов еще тот фрукт, — сообщил Бахрам. — Я не совсем понимаю, что у вас там происходит — слет всех подонков нашей области? Салман Масимов только недавно вышел из колонии и устроился стажером в наше управление народного образования. Запрета на занятия педагогической деятельностью у него нет, а образование у него университетское. Он химик, вот его и взяли.

— За что сидел? За автомобильную аварию восемь лет не дают, — предположил Сангеев. — Ты можешь сказать, по какой статье его осудили?

— Конечно. На его совести сразу два убийства. Он отравил своих соседей и ограбил их загородную дачу. И еще пытался отравить их собак. Правда, животные выжили. Алло, ты меня слышишь?

Сангеев медленно опустил трубку на рычаги. Теперь он знал, кто именно появился в их городе. Но почему они появились так организованно и все вместе? И кто помогал Масимову — сын Магеррама или Владлен Семенов?

Снова раздался телефонный звонок. Это был опять Бахрам.

— Масимов опасный человек, — сообщил он, — несмотря на свой возраст, у него уже третья судимость. Если он работает в вашей школе, скажи, чтобы его гнали оттуда поганой метлой. Таких ублюдков нельзя подпускать к детям на пушечный выстрел. Мы сейчас готовим представление в областное управление народного образования.

Ильдус даже не стал благодарить своего давнего знакомого. Теперь он точно знал, кто приехал в их город.

ГЛАВА 7

Орилин и Максудов вернулись примерно через полчаса. Майор коротко рассказал им о человеке, поселившемся в их городе.

— Он уже однажды использовал свой трюк с собаками, — пояснил Ильдус, — мне передали данные из его досье. Исключительно опасный тип. Три судимости, два убийства. Вышел по амнистии и сразу пошел устраиваться педагогом-стажером, попросив направить его именно к нам.

— Наверное, он и связался с Карпатовым, — предположил лейтенант.

— Нет, — ответил Сангеев, — бедный Карпатов ни в чем не виноват. Он не участвовал в ограблениях автомобилей, во всяком случае, машину Мелентьева он точно не мог ограбить.

— Почему? — спросил сержант.

— Его убили три или четыре дня назад, — пояснил майор.

Наступила нехорошая тишина. Лейтенант и сержант переглянулись.

— Откуда вы знаете, что его убили? — спросил лейтенант.

Вместо ответа майор достал из кармана ключи от дома Карпатова и положил их на стол.

— Я был у него дома, — сообщил Сангеев, — его убили несколько дней назад. Труп еще в доме, уже застывший. Кровь тоже высохла. Я доложил обо всем нашему мэру, и мы решили, что не нужно вызывать сотрудников прокуратуры и следственного комитета на ночь глядя. Лучше вызовем их завтра утром.

— И вы оставили труп в его квартире?

— Да, так я и сделал.

— И не боитесь, что кто-нибудь может похитить труп или замести следы?

— Ключи у меня. Замки на дверях у него отменные, никто не откроет. А насчет трупа... кому он нужен, если столько дней лежал в доме с открытой дверью и никуда не убежал?

Орилин промолчал, не став спорить. Майору не понравилось выражение лица сержанта. Интересно, о чем подумал Ризван?

— Узнаем, где живет этот тип, и постараемся его

сегодня забрать, — предложил майор. — Я наведу справки у директора школы, где работает моя жена.

— Не нужно узнавать, — неожиданно сказал сержант, — я точно знаю, где он остановился. В южном квартале, у памятника героям революции, в старом пятиэтажном доме.

— Там почти никто не живет, — напомнил Орилин.

— Только шесть семей, — кивнул Максудов, — в доме нет отопления, но свет пока не отключили, и они этим пользуются. У всех есть электроплитки.

— Откуда ты знаешь, что он живет именно там? — хмуро уточнил начальник милиции.

— Примерно неделю назад он сюда приходил, — сообщил сержант, — хотел увидеть вас, но я сказал, что вы заняты. У него было направление из областного управления. Я ему предложил занять любую квартиру в этом доме. Вы же знаете, что там никто не живет. Заброшенный дом, который скоро должны снести. Он обрадовался и сразу согласился.

— Почему ты мне ничего не сказал?

— Не придал значения. Сколько таких приходит. Обычный педагог-стажер.

— Ты его документы смотрел?

— Только паспорт. Паспорт у него был в порядке. И прописка была в областном центре. Я даже обрадовался — дети мне говорили, что химию у них уже несколько месяцев не преподают.

— Почему мне не доложил?

— О чем? — спросил сержант. — Приходит обычный стажер и спрашивает, где ему жить. Я и отправляю его в этот дом. Зачем я должен был вас беспокоить?

Ризван был прав, и Сангеев понимал, что напрасно злится на своего подчиненного. Но ему не нравилось выражение лица сержанта.

— Сам знаешь, что я не люблю, когда меня накалывают. Откуда приехавшему человеку знать про этот дом? Ты показал?

— Да, — кивнул сержант.

— И ключи, наверное, дал?

— В жэке их взял, — снова сознался Ризван.

— Сколько он тебе заплатил? — ровным голосом уточнил майор.

— Тысячу рублей дал. И еще две потом обещал, — сообщил сержант, — но я ведь не знал, что он преступник. Молодой, симпатичный парень. Направление в порядке. Я так обрадовался, что он у нас будет новым учителем химии.

— Так обрадовался, что сразу деньги с него взял и обо всем на свете забыл, — пробормотал Ильдус. — Почему так долго молчал? Боялся, что я свою долю из тысячи возьму? Если бы ты мне раньше об этом рассказал, может, Карпатов в живых бы остался.

— Я ведь не знал, что он раньше в тюрьме сидел.

Теперь уже и учителям верить нельзя, — пробормотал сержант.

— Теперь тебе верить нельзя, — нервно произнес майор, — даже не знаю, как мне поступить. Я вообще должен по закону тебя отстранить и рапорт направить на твое увольнение.

Сержант сконфуженно молчал. Лейтенант отвернулся, словно его это не касалось.

— Ладно, — сказал Ильдус, — будем считать, что это твоя последняя ошибка. Возьмем этого типа, потом и переговорим. А почему ты повел его туда? У нас столько пустующих домов рядом со школой.

— Он сам попросил где-нибудь в тихом месте, чтобы его не беспокоили. Я честно ему сказал, что там в доме нет отопления, но он сможет поставить электроплитку.

— Которую ты ему сразу и нашел, — нехорошим голосом сказал майор.

— Да, — в очередной раз признался сержант, — у нас дома есть несколько запасных штук. Вот я ему одну и отдал.

— Отдал или продал?

— На время одолжил, — вывернулся Ризван.

— Сколько взял?

— Пятьсот рублей. Она так и сто́ит, честное слово.

— Врешь ты все, — уже беззлобно произнес майор, — твои старые плитки больше ста рублей не тянут. Получается, что человек к нам приехал, и ты сразу начал его обирать. Он еще ничего здесь не заработал, а ты уже и деньги за плитку взял, и за ключи от нежилой квартиры. Почему он не пошел в мэрию? У них там столько пустующих квартир, тем более для педагога.

— Откуда я знаю? — мрачно ответил сержант.

— А ты его не спросил?

— Нет.

— Понятно. Хорошо, хоть не спугнули. Теперь за ним вместе пойдем. И ты как раз к нему постучишься. Он ведь уже знает, какой ты у нас «герой», поэтому не станет пугаться. Вот мы его сразу и возьмем. Орилин, а ты почему в сторону смотришь? Или ты тоже его где-то «регистрировал»?

— Я вообще об этом первый раз слышу, — ответил лейтенант, — если вы думаете, что он убийца, то давайте его задержим. Только я не понимаю, почему его взяли педагогом с таким послужным списком? Несколько судимостей, сидел восемь лет за двойное убийство, а тут педагогом в школу.

— Потому, что в нашем областном управлении сидит такой же добрый человек, как наш сержант, — пояснил Сангеев, — который тоже вошел в положении бедного заключенного и принял его на работу. А потом, может, и дело немного подправил. И получилось, что убийца и грабитель Салман Масимов превратился в ангела и его последняя судимость была за случайный наезд. Правда, тут у него неувязка получилась: за такое преступление восемь лет не дают, слишком много. Но кто, кроме нас, об этом может знать? Вот его и взяли на работу, направив к нам.

— Непонятно, зачем он сюда приехал, — сказал лейтенант.

— Эх, Орилин, сколько тебя ни учи, ты ничего понять не хочешь. Все эти события связаны. Он приехал к нам — и сразу начали машины грабить. Он нашел себе напарника, который согласился внедорожники открывать. Зачем, я пока не знаю, но похоже, что это были только тренировки. А Карпатов отказался иметь с ними дело. Он действительно превратился в хронического алкоголика, и Масимов наверняка думал, что сумеет с таким договориться. Только Петр Станиславович хоть и был пьющим человеком, а совесть окончательно не пропил. И отказался работать с этим человеком. Тогда его и убили. А кто-то другой не отказался. И работает теперь на пару с приехавшим к нам «учителем». Теперь мы должны срочно узнать, что именно они замышляют. И почему в наш город так неожиданно приехали еще эти двое непонятных парней, которых мы видели в «Тадж-Махале».

— Вы считаете, что они связаны между собой?

— Пока не знаю, но собираюсь выяснить. Не люблю, когда меня держат за дурака. Давай вызовем такси и поедем за этим «учителем». Уже поздно совсем, сейчас рано темнеет.

— Куда он денется, — проворчал сержант, — дома, наверное, сидит.

На этот раз такси им пришлось ждать около двадцати минут. В такое время суток машин обычно не хватало, да и многие сейчас возвращались домой. Ильдус, недовольно ворча, уселся на переднее сиденье, посмотрел на водителя. Это был Абуталиб, всю свою жизнь проработавший в таксопарке. Ему было уже под шестьдесят, но он сохранял хорошую форму, знал всех местных жителей и мог найти любую улочку в городе. У Абуталиба было пятеро детей и одиннадцать внуков. Ильдус знал всю его работающую семью. Трое сыновей уже давно уехали в другой город. Одна дочь вышла замуж за педагога и уехала в областной центр. И только младшая дочь оставалась с родителями, выйдя замуж за водителя из таксопарка. Злые языки утверждали, что это сам Абуталиб нашел мужа для своей младшей дочери. Но как бы там ни было, дочь, зять и трое внуков остались жить в его доме.

— Почему так поздно приехал? — спросил Ильдус.

— Я Карину отвозил в роддом, к жене вашего сержанта, — пояснил Абуталиб.

— А разве ей время уже рожать? — удивился Ризван, — Хатира говорила, что только через два месяца.

— Она решила рожать сегодня, — улыбнулся Абуталиб. — Иногда женщины не хотят терпеть девять месяцев и рожают семимесячных.

— Хатире не повезло, — пробормотал сержант, — теперь она останется на всю ночь в больнице. Нужно будет пораньше заехать домой, чтобы покормить детей.

Это он сказал явно для майора. Ильдус недовольно засопел.

— Твой старший уже выше меня ростом, — заметил он, — сам может позаботиться о своих братьях. Поехали в южный квартал, Абуталиб, к старой пятиэтажке.

— Понял, — кивнул таксист.

— Только сделай так, чтобы мы подъехали с другой стороны дома, не от памятника. Нам так нужно.

— Все сделаю, начальник, не волнуйся. Что-то проверяете? Там ничего нет, даже мальчишки туда не лазают. Холодно. Всего в шести квартирах люди остались. Нет, в семи. Там сейчас еще одного педагога поселили, который в нашу школу на стажировку приехал.

Ильдус обернулся к своим подчиненным и укоризненно покачал головой. Таксист был осведомлен о приехавшем лучше, чем сам начальник милиции. Хотя в этом не было ничего необычного — Абуталиб знал все последние новости в городе.

— Что о нем говорят? — спросил Сангеев.

— Ничего не говорят. Он только недавно приехал. Некоторые его жалеют. Говорят, он после института в тюрьму попал, случайно какого-то прохожего сбил и судья ему восемь лет дал. Есть такие бессердечные судьи. Сломал парню жизнь...

— Это ты тоже знаешь?

— Начальник, я в этом городе всю жизнь живу, как и ты. Всех знаю. Назови любого, и я тебе о нем справку выдам лучше отдела кадров.

— Не сомневаюсь, — усмехнулся майор, — это дело у нас хорошо поставлено.

Вокруг начинало темнеть, усиливался северный ветер.

— Говорят, что в городе скоро будут изменения, — негромко сказал Абуталиб, поворачивая машину налево.

— Какие изменения? — насторожился Ильдус.

— Я слышал, что скоро новые люди приедут, — уклончиво ответил таксист.

Сангеев изумленно уставился на пожилого водителя. О том, что сюда переедет отдел ФСБ, он сам узнал только недавно от мэра города. Откуда мог узнать об этом Абуталиб?

— Кто приедет? Какие люди?

— Сам знаешь, начальник, — хитро улыбнулся Абуталиб, — к тебе на помощь приедут. У нас ведь здесь никогда раньше их не было. Даже когда в городе столько людей жило.

«Он все знает», — изумленно понял майор.

— Откуда ты знаешь? — спросил он, не скрывая своего удивления.

— Абуталиб все знает, — хитро улыбнулся водитель.

Сзади послышался сдавленный смешок Орилина.

— Откуда? — настаивал начальник милиции уже более требовательным голосом.

— От мужа Карины, — сказал сидевший на заднем сиденье Ризван, — он ведь родной брат водителя нашего мэра. Наверное, тот ему и рассказал.

— Правильно, — кивнул Абуталиб, — все так и было.

— Этот город — просто сумасшедшее место, — подал голос Орилин, — здесь никакие секреты нельзя скрыть. Любого преступника сразу вычисляют и о любом приезжем все знают.

— А мы ничего не знали о нашем «педагоге», — резко оборвал его Сангеев.

Автомобиль подъехал к дому с другой стороны, как и просил майор.

— Жди нас здесь, — сказал Ильдус, первым выходя из салона автомобиля. За ним вышли остальные. Они отошли на несколько шагов от машины любознательного и болтливого таксиста.

— Проверьте оружие, — приказал майор, — и ты, Ризван, не забывай, что на его счету уже два убийства. Это тебе не обычный молодой учитель, а опытный преступник. Он начнет стрелять, не задумываясь, если у него есть оружие. Поэтому будь осторожен. На каком этаже он живет?

— На первом. Сам попросил первый, там теплее.

— И легче сбежать, если понадобится. Значит, так. Орилин остается дежурить на улице. Увидишь, что он пытается сбежать, сразу стреляй на поражение. Я тебе разрешаю. Никаких предупредительных выстрелов. Лучше попасть в ногу или в руку, можешь в живот — только не в голову. Ризван, ты зайдешь к нему сам. Я буду рядом, в подъезде. Как только он откроет тебе дверь, я сразу войду в квартиру вместе с тобой. А там мы разберемся.

— Понятно, — кивнул Ризван, — только я думаю, что у него нет с собой никакого оружия. Я его видел, когда он приехал. Небольшая сумка в руках, и больше ничего. Я еще подумал: какой скромный человек.

— В сумке вполне мог уместиться пистолет, — возразил Ильдус, — это ничего не значит. Или мог просто в кармане спрятать. Ты ведь к нему не присматривался, тебя в этот момент деньги интересовали...

Сержант нахмурился, но промолчал.

— Пошли, — приказал майор.

Вместе с Ризваном они вошли в подъезд дома. Здесь уже с прошлого года было отключено отопление, и подъезд казался особенно холодным, несмотря на раннюю весну. Лампочку давно вывернули, и в темноте Ильдус, споткнувшись о ступеньку, едва не упал. Он неслышно выругался. Они поднялись на несколько ступенек. Сангеев встал рядом с дверью. Сержант постучал — звонки здесь, конечно, не работали. Прислушался. Никакого шума. Он постучал сильнее.

— Может, в школе еще? — шепотом спросил он.

Ильдус покачал головой. Уже шесть часов вечера, а занятия заканчиваются в первой смене. В обоих школах города уже давно нет второй смены, учитывая уменьшающееся количество учеников.

За дверью наконец послышались шаги.

— Кто там? — спросил Масимов.

— Это я, сержант Максудов, — ответил Ризван, — зашел тебя проведать. Как ты устроился?

— Спасибо, хорошо. Сейчас открою дверь, сержант. — Они услышали его удаляющиеся шаги.

— Отойди от дверей, — попросил Ильдус.

— Что? — не понял Ризван.

— Отойди, — показал майор, — на всякий случай.

Он, конечно, не думал, что их «подопечный» начнет сразу стрелять, но ему не хотелось давать негодяю даже одного шанса. А у сержанта было четверо детей. Поняв, что именно говорит начальник, сержант сделал шаг в сторону. Они услышали торопливые шаги, и наконец дверь открылась. На пороге стоял Салман Масимов. Он был в спортивном костюме. Он был среднего роста, коротко остриженный. На левой щеке был заметен давний шрам, очевидно, полученный в молодости. Тусклый свет освещал небольшой коридор за его спиной.

— Что случилось, дорогой сержант? — улыбнулся Салман. — Пришли за своими деньгами? Я их уже приготовил.

В тот момент, когда он доставал из кармана деньги, рядом с сержантом появился Ильдус Сангеев, который, буквально толкнув своего подчиненного, встал перед гостем.

— Здравствуйте, — сказал он, глядя в глаза необычного «педагога», — вы не будете возражать, если мы вдвоем вас навестим? Я начальник городской милиции майор Ильдус Сангеев.

— Я вас знаю, — продолжал улыбаться Салман, — входите, конечно. У меня практически нет мебели. Сплю на раскладушке, зато есть сразу три исправные табуретки. Поэтому двоих гостей я принять смогу.

Он посторонился, пропуская гостей. Проходя мимо него, Ильдус немного напрягся, но Салман улыбался, не делая попыток куда-то сбежать или достать оружие.

— После вас, — показал майор, — идите первым.

Салман не стал спорить. Он спокойно прошел в гостиную, где тоже горела лампочка. На колченогом столе стояла тарелка, лежали ложка и вилка. Нарезанные помидоры, огурцы, неоткрытая банка пива.

Очевидно, хозяин собирался ужинать. Вокруг стола стояли три табуретки и высокий стул, на котором висела рубашка хозяина. Больше ничего не было.

— У вас тут спартанская обстановка, — заметил Ильдус, оглядываясь, — даже не представляю, как вы тут живете.

— Нормально, — улыбнулся Салман. — Трехкомнатная квартира — и в моем распоряжении! Где еще можно устроиться с таким комфортом? Я ведь пока только «стажер».

Ильдус уселся на табуретку, которая предательски заскрипела. Сержант по-прежнему не садился. Салман опустился на другую табуретку. Он сохранял спокойствие, напускное или реальное, трудно было определить. Но пока внешне он ничем не выдавал себя.

— А почему вы устроились в таком неприспособленном доме? — поинтересовался Сангеев.

— Это гораздо более приспособленное для жилья место, чем то, где я был последние годы, — честно ответил Масимов.

— Вы сидели в колонии? — прямо спросил Сангеев.

— Вы же наверняка знаете, что сидел, раз пришли ко мне сами, — улыбнулся Масимов.

— Знаю. Только в вашем личном деле указано, что вы сидели за наезд на прохожего.

— Верно, — кивнул Салман. — Обычная автомобильная нелепость. Пришлось отсидеть полный срок. Но мне поверили в областном управлении, и я надеюсь, что смогу оправдать это доверие...

— Не нужно, — перебил его майор, — хватит лгать. Ты сидел за двойное убийство. И это была уже третья судимость. Я не знаю, как тебе удалось изменить свое личное дело, но, видимо, в областном управлении образования сидят понимающие люди.

Все-таки Салман Масимов был человеком выдержанным. На его лице не дрогнул ни один мускул. Он просто сидел и смотрел на начальника милиции, который продолжал говорить.

— Меня интересует сейчас только один вопрос: зачем ты к нам приехал? — продолжал Сангеев. — Только не ври о своей любви к детям, все равно не поверю. Что тебе у нас нужно? Почему так глупо рисковал и решил приехать именно к нам?

Салман закусил нижнюю губу. Очевидно, он еще и быстро соображал.

— Думал начать новую жизнь, начальник, в таком месте, где меня никто не знает, — сказал он, — не хотел связываться с прошлым. Приехал в ваш город, чтобы здесь спасти свою душу.

— Эти сказки где-нибудь в другом месте расскажешь, — посоветовал Ильдус, — у нас город заблудших душ. Здесь ты свою душу не спасешь. И не трепись, что ты к нам за новой жизнью приехал. Ты к нам приперся, чтобы старую вспомнить. Собачек отравленных помнишь? В прошлый раз они чудом выжили. А сейчас ты умнее стал, уже дозу уменьшил.

— Какие собачки? — очень тихо спросил Салман. Было заметно, что последние слова начальника милиции пробили броню его спокойствия.

— Хорошие собачки. В прошлый раз ты и соседей отравил, и их собачек, а в этот раз только собачек. Тебе ведь не магнитофон нужен был? Ты своего напарника проверял, как быстро он сможет внедорожник открыть. Правильно?

Это были последние слова, которые произнес Ильдус. Масимов мгновенно вскочил на ноги, обрушивая свою табуретку на голову майора. Тот успел увернуться, и удар пришелся в левое плечо. Сангеев упал и услышал крик сержанта, когда Салман метнулся к окну и, выбив его вместе с оконной рамой, вывалился на улицу. Раздалось несколько выстрелов. Сержант, выхвативший оружие, смело бросился к окну, правда не решаясь прыгнуть вниз, как это сделал сбежавший рецидивист.

ГЛАВА 8

Морщась от боли, Сангеев поднялся. В последнюю минуту сержант что-то крикнул, отвлекая на мгновение бандита, и тот неточно рассчитал свой удар. Майор успел отклониться. Левая рука и плечо болели. Он подошел к окну, у которого топтался сержант.

— Ушел? — зло спросил Сангеев. — Нужно будет его найти.

— Никуда он не ушел, — возразил Ризван, — вот он там лежит. Орилин его подстрелил.

— Какой молодец, — кивнул майор, потирая плечо, — давай срочно туда. А я посмотрю, что тут в спальне.

Сержант повернулся и поспешил к выходу. Майор вошел в спальную комнату. Раскладушка, два поломанных стула, какой-то пыльный старый шкаф. Он открыл дверцу. В шкафу висел костюм, теплая куртка, джинсы. Он тщательно все обыскал. Во внутреннем кармане куртки были паспорт и пачка денег. Немного, тысяч семь. Майор закрыл дверцу шкафа, осмотрелся. Батареи давно стоят холодные, но какие-то подозрительно чистые. Полки шкафа, куда кладут вещи, даже не протирали от пыли, а батареи, которые вообще не нужны, подозрительно чистые. Он подошел ближе, просунул руку. Так и есть. За батареей лежали две пачки денег. Он достал обе. Двадцать тысяч долларов. На такие деньги можно было купить сто новых магнитофонов. Он положил доллары в карман, повернулся, чтобы выйти. В третьей комнате было пусто. Майор прошел на кухню, где сохранилась какая-то мебель. Было понятно, что Салман не собирался оставаться здесь надолго. Сангеев уже собирался выйти, но перед этим решил проверить газовую плитку. Открыл дверцу. Там был какой-то пакет. Он достал и развернул его. Два новых «макаровых». Он даже никогда не видел таких моделей — видимо, усовершенствованные. И четыре обоймы. Недобро усмехнувшись, он забрал пакет и вышел из кухни.

Во дворе уже слышались крики. Он поморщился. Нужно увезти этого типа, пока сюда не собрался весь город. Хотя вполне достаточно, если об этом случае узнает Абуталиб: через час в курсе будет весь город. Несколько соседей уже выбежали из дома, обступив раненого. Никто не понимал, что случилось. Орилин стоял над преступником, потрясенный его видом. Он впервые в жизни стрелял в живого человека, и теперь один лишь вид крови вызывал у него тошноту. Сержант сидел на корточках перед раненым, пытаясь определить, куда попали пули. Майор подошел к ним, все расступились. Абуталиб уже суетился рядом.

— Что случилось? — спросил один из соседей. — Кто стрелял? Почему?

— Он хотел убежать, — начал словоохотливый Абуталиб, — но...

— Никто не хотел никуда убегать, — резко перебил его Ильдус, — это наш новый педагог-стажер. Рядом собака пробегала, а он принял ее за волка. Начал стрелять. Тогда наш лейтенант тоже выстрелил и случайно попал в него. Ничего страшного. Вы же видите, что он ранен легко. Я сколько раз нашим охотникам говорил, чтобы в городе с ружьями не ходили! А этот тоже охотник оказался, только новичок.

Абуталиб изумленно смотрел на начальника милиции, но возражать не решался.

— Кажется, ему плохо, — сказала одна из женщин, — нужно его в больницу отправить.

— Обязательно, — кивнул Ильдус, — давайте его срочно в машину. Абуталиб нам как раз поможет.

Испуганный таксист не решился возражать, хотя понимал, что истекающий кровью пассажир испачкает ему весь салон. Вместе с сержантом они перенесли Масимова на заднее сиденье.

— Расходитесь, — крикнул Сангеев, — это несчастный случай! Мы едем в больницу.

Он протиснулся на заднее сиденье, показав Орилину на переднее. Сержанту он приказал остаться и еще раз все осмотреть, а затем возвращаться на работу.

— Если будут спрашивать, то это был несчастный случай, — строго напомнил майор, — никому ни слова.

Здесь на Ризвана можно было положиться. Он вообще не любил много говорить.

— У него два ранения, — сообщил Ризван, — в грудь и в ногу.

Майор кивнул, захлопнул дверцу. Они отъехали от дома. Раненый застонал.

— Сколько раз ты стрелял? — спросил майор.

— Не знаю, — ответил Орилин, — я увидел, как он выпрыгнул из окна, и несколько раз выстрелил. Я сам ничего не понял. Раза четыре или пять.

— Я сказал — в ногу, — поморщился Сангеев, — стоял в пяти метрах и не мог нормально выстрелить.

— Кто это такой, начальник? — спросил Абуталиб. — Почему вы в него стреляли?

— У нас началась весенняя охота на учителей, — зло пошутил Сангеев. — Веди машину и не поворачивай головы. Куда ты едешь?

— В больницу, конечно, — ответил удивленный таксист.

— Нет, едем к нам.

— Но он ранен.

— Не твое дело. Едем к нам.

Сангеев наклонился к раненому, взглянул на расплывающееся пятно крови. Покачал головой. Черная кровь. Очевидно, пробита печень, задеты легкие. Он уже хрипит. Долго он не протянет. Значит, нужно спешить. Ильдус наклонился к умирающему.

— Зачем, — спросил он, — зачем ты приехал в наш город?

Раненый дернулся. Очевидно, он еще что-то соображал. На губах появились кровавые пузыри. Масимов тоже понял, что жить ему осталось недолго.

— Говори, — требовательно произнес майор, — иначе в больницу мы не поедем.

Он резко нажал рукой на грудь раненого, и тот застонал от боли. Орилин обернулся и, увидев эту картину, вдруг закашлял и на полном ходу открыл дверцу автомобиля. Абуталиб мягко затормозил, Ильдус снова наклонился к умирающему:

— Зачем ты приехал?

— Ма... — что-то пытался пробормотать Масимов.

— Зачем вы вскрывали внедорожники? — крикнул Сангеев, еще раз нажимая на рану.

— Ты его убьешь, — осторожно сказал Абуталиб.

— Заткнись! — разозлился майор. — Этот тип убил Карпатова. Еще раз скажешь хотя бы слово, и я тебя лично пристрелю.

Абуталиб испуганно втянул голову в плечи. Орилин с трудом вылез из машины, он весь перепачкался. Сангеев с презрением посмотрел вслед лейтенанту. А еще мужчина, никогда крови не видел!

— Зачем ты приехал? — снова крикнул майор, наклоняясь к Масимову.

— Ма... машины... — сказал тот, — нужны машины...

— Зачем?

— Машины... мы все... машины... — Раненый уже бредил.

— Говори, — потряс его Сангеев, — говори.

Но бандит умирал. Это были конвульсии. Он дернулся и умер прямо на руках начальника милиции. Тот все еще пытался его встряхнуть.

— Он умер, — осторожно сказал Абуталиб.

— Вижу. — Сангеев положил уже бесчувственное тело на сиденье. Посмотрел туда, где все еще выворачивало Орилина. — Давай быстрее в машину, — приказал он, — мы не можем ждать, пока ты придешь в себя. Быстрее.

Лейтенант кивнул и, качаясь, подошел к машине. Увидев мертвого, он отшатнулся, снова сгибаясь пополам.

— Хватит, — разозлился майор, — давай в машину.

Орилин, тяжело дыша, сел в автомобиль, стараясь не оборачиваться. Абуталиб взглянул в зеркало заднего вида. Он тоже не хотел поворачиваться.

— Теперь можно в больницу? — тихо спросил он.

— Нет, — возразил майор, — как раз теперь нельзя. Давай к нам в отдел.

— Он вам все перепачкает, — на всякий случай сказал Абуталиб.

— Ничего, мы потом все отмоем. Поехали быстрее.

Они подъехали к зданию милиции, когда уже было совсем темно. Майор приказал, чтобы машина заехала во двор. Здесь была вторая дверь, которой обычно не пользовались. Вместе с Абуталибом они перенесли погибшего вниз, в изолятор, где пустовали все камеры. Дверь в изолятор обычно была открыта, ведь в нем почти никогда не было задержанных. Они внесли труп бандита и положили прямо на цементный пол в одной из камер.

— Нужно его прикрыть, — предложил Абуталиб.

В одной из камер оставалось старое постельное белье. Майор принес простыню и накрыл тело убитого. Затем, перейдя в соседнюю камеру, поманил к себе пальцем таксиста.

— Иди сюда, Абуталиб, — попросил он.

Таксист подошел к нему. Вопросительно посмотрел на начальника. Сангеев, не сказав ни слова, вышел из камеры и закрыл за собой дверь. Камеры здесь были условные, разделенные решетками. В каждой камере могло находиться по четыре человека. Их тюрьму строили в расчете на большой город по нормам советского времени. Теперь здесь уже давно никто не сидел. Сангеев закрыл дверь и вытащил ключи.

— Что ты делаешь, — изумился Абуталиб, — почему ты меня запер?

— Так нужно, — мрачно ответил Сангеев.

— Ты с ума сошел? — нервно спросил таксист. — Думаешь, что я тоже бандит? Как тебе не стыдно! Я твоего отца покойного знал. Что ты творишь?

— Ну, какой ты бандит, Абуталиб, — вздохнул майор. — Разве я сказал, что я тебя арестовал? Конечно, я знаю тебя с самого детства. Ты забыл, что мы учились с твоим младшим братом в одном классе.

— Это ты про это забыл. Открой дверь, не смей меня арестовывать!

— Подожди, Абуталиб. Тебя никто не арестовывает. Я просто решил попросить тебя остаться у нас на одну ночь. Только на одну ночь. Это не арест, это моя личная просьба.

— Поэтому ты меня запер? Ты совсем с ума сошел?

— Я не сошел с ума, Абуталиб. Этот бандит приехал в наш город с какими-то определенными намерениями. Мы пока не знаем, почему он выбрал именно наш город. Но я хочу это узнать. И, как мне кажется, в городе есть еще двое людей, которые тоже приехали вслед за ним. Мне нужно все выяснить, Абуталиб. Ты должен меня понять. Сейчас в городе будут говорить, что произошел несчастный случай с новым педагогом. А если ты отсюда выйдешь, то все узнают правду. Это очень опасно, Абуталиб. Твой язык может доставить нам большие неприятности. Поэтому извини меня, но сегодня ты останешься здесь. До тех пор, пока я не узнаю, почему этот человек решил к нам приехать.

— И сколько я буду здесь сидеть?

— Недолго. Я думаю, недолго. Мы все проверим за несколько часов. Ты должен меня понять, Абуталиб. Если хочешь пить или есть, я закажу тебе еду в «Тадж-Махале». Туалет в камере у тебя есть. Что тебе еще нужно?

— Позвони домой и скажи, что я задерживаюсь, — попросил таксист. — Мог бы сразу мне все объяснить. И не нужно было меня запирать. Сказал бы по-человечески, и я бы никуда не ушел. Сидел бы у вас в милиции.

— У меня нет другого выхода. Я, безусловно, доверяю тебе как старому другу, моему земляку. Но не верю в твою сдержанность, Абуталиб. Тебя хлебом не корми, только дай посплетничать.

— Сам ты сплетник, — махнул рукой Абуталиб, — ну и черт с тобой! А еды мне твоей не нужно. Только воды принеси и не забудь домой позвонить. Меня первый раз в жизни в тюрьму посадили. Что я теперь внукам буду говорить?

— Тебя не посадили. Тебя попросили задержаться у нас. Как старого друга. Ну кого еще я могу попросить, кроме тебя? Если тебе будет легче, можешь завтра на меня жалобу написать в областное управление.

— Иди ты к черту, — пробурчал таксист. — Ты вообще уверен, что он убийца? Может, вы пристрелили невиновного?

— У него в квартире я нашел оружие и деньги, Абуталиб. Много денег. Они к чему-то готовились, но я не знаю, к чему. А мне нужно узнать. Спасибо Орилину, что остановил этого типа. Жалко, что он так и не научился нормально стрелять. Извини меня еще раз, Абуталиб.

Он повернулся и пошел к выходу.

— Не забудь позвонить нашим! — крикнул ему напоследок Абуталиб.

Сангеев поднялся к себе в кабинет. Плечо по-прежнему ныло. Нужно будет показать врачу, мрачно подумал он. Отстегнул кобуру с оружием, положил на стол, после чего сел на свое место. Немного подумал. Затем позвонил домой таксисту и сообщил его дочери, что Абуталиб поедет в соседний город вместе с сотрудниками милиции. Возможно, вернется только утром. Она сразу узнала голос дяди Ильдуса и пообещала все передать матери. Затем

Сангеев позвал Орилина, который все еще не пришел в себя, дал ему бутылку минеральной воды.

— Отнеси вниз Абуталибу, — приказал он.

— Вы его задержали? — удивился лейтенант.

— Да.

— На каком основании?

— После того, как ты начал стрелять и убил единственного подозреваемого, у меня просто не осталось выбора, — пояснил майор, — иначе сегодня ночью весь город будет знать, как ты убил этого человека. Ты этого хочешь?

— Я уже ничего не хочу, — выдохнул лейтенант.

— А ты думал, что все будет вот так, как всегда? Ты будешь приходить на работу когда захочешь, делать все, что тебе нравится, спать с вице-мэром и получать удовольствие от жизни? Так не бывает, Орилин. У каждой работы есть своя грязная сторона. И ты сегодня только на секунду увидел эту грязную сторону. А я ведь тебя предупреждал, что в нашей работе всякое случается. Возьми бутылку и иди вниз.

— Убитого вы тоже там оставили? — мрачно спросил Орилин.

— Не беспокойся, он не воскреснет. Ты его надежно пристрелил. А я накрыл его простыней. Абуталиб в соседней камере.

Лейтенант взял бутылку и вышел из кабинета. Сангеев достал рацию, связался с сержантом.

— Закончил осмотр?

— Закончил. За батареей был какой-то тайник, но сейчас он пуст.

— Знаю. Там были деньги, и я их забрал. Что еще?

— В спальне под раскладушкой пол был разобран. Он поэтому и просил первый этаж. Тайник там оборудовал. У него инструмент в нем хороший хранился. Отмычки всякие, ключи.

— Он убийца, а не взломщик. Значит, привез с собой специальный воровской инструмент и искал нужного исполнителя. А Карпатов ему, видимо, отказал. Что-нибудь еще нашел?

— Больше ничего. Только инструмент. Похоже, им уже пользовались.

— Конечно, пользовались. Забирай все и приезжай сюда. Поедем проверим, кто мог пользоваться этим инструментом.

— Я сейчас машину поймаю и приеду. Может, мне лучше по дороге домой заехать и свой «жигуленок» забрать?

— Все-таки хочешь домой заехать... Боишься, что Хатира поздно придет?

— Это точно, что она придет поздно. У Карины будут сложные роды. Вы же слышали, что сказал Абуталиб.

— Он даже знает, какие роды и у кого будут... — недовольно пробурчал майор. — Ладно, заезжай домой, только не задерживайся. А машину забери, так будет лучше.

Он отключил рацию. Хорошо, что в их городе хотя бы работают эти рации, иначе было бы совсем неудобно. Нужно будет как-то решать вопрос с этими мобильными телефонами. Над ними все время смеются жители соседнего города. Говорят, что уже даже в Африке не осталось мест, где нельзя разговаривать по мобильникам. Он вспомнил про убитого. Интересно, почему тот все-таки приехал в их город? Привез целый набор инструментов для взлома. Что-то говорил про машины... Ну это понятно — они ведь вскрывали внедорожники. Но почему именно внедорожники? Нужно подумать. Что именно они замышляли и кто мог быть его напарником? Неужели сын Магеррама? Он все-таки слишком молод для таких дел. И если бы он полез в дом Вахтадова, то, не удержавшись, обязательно рассказал бы кому-нибудь из своих друзей о том, как они отравили собак. Он бы не смог так долго молчать. Тогда выходит, что Владлен Семенов. Нужно будет поехать к нему и переговорить. Вызывать его сюда нельзя, лучше поехать к нему домой. Пусть только вернется сержант.

Орилин вошел в комнату. У него был уставший, истерзанный вид. Майор взглянул на него с отвращением.

— Можно я пойду домой? — спросил лейтенант. —

Хотя бы приму душ и переоденусь. От меня так нехорошо пахнет...

— Нужно, чтобы ты так проходил несколько дней — немытым и дурно пахнущим, — пожелал Сангеев, — может, тогда что-нибудь поймешь. Ладно. У тебя только тридцать минут. Возьми ключи от машины Абуталиба и поезжай на его развалюхе. Только быстро, туда и обратно. В свою новую квартиру... Нужно будет зайти и посмотреть, как ты устроился. В армии был?

— Нет. Сразу после школы поступил в университет.

— Вот поэтому ничего не видел и ничего не знаешь. Давай быстрее. Спустись вниз и забери ключи у Абуталиба. Скажи, что я разрешил. Только очень быстро, ты мне сегодня здесь нужен. А я тебе ужин закажу, — неожиданно добавил майор.

Орилин улыбнулся, пошел к дверям. Взявшись за ручку двери, обернулся к майору.

— Извините, — сказал он не очень громко, — я не хотел его убивать.

— Я знаю, — кивнул майор, — давай быстрее. Твое время уже пошло. И не забудь, что я тебе сказал. Тридцать минут — и ни секундой больше. У нас нет времени.

Лейтенант вышел из кабинета. Сангеев позвонил своему секретарю. Услышал ее голос. Куляш была девушкой скромной, тихой и исполнительной.

— Как дела, Куляш? — спросил Сангеев. — Как себя чувствует твой папа?

— Спасибо, уже лучше. Он сейчас спит.

— Мама уже пришла?

— Давно. Еще в четыре часа. Она была в первой смене на хлебокомбинате.

— Я знаю. Куляш, ты мне сегодня нужна. Можешь быстро прийти на работу?

— Конечно. Прямо сейчас?

— Да. Если можешь.

— Конечно, могу. Мама уже дома. Я сейчас приду. — Она жила напротив, и это было очень удобно.

Сангеев перезвонил хозяину «Тадж-Махала».

— Тухташ, это Ильдус говорит. У нас сегодня много работы, поэтому скажи ребятам, чтобы быстро нам еду организовали. Человек на пять-шесть. И пусть зелени побольше положат.

— Все сделаю, — пообещал хозяин ресторана. — Говорят, у вас сегодня учителя случайно ранили?

— Он сам себя ранил, — поморщился Сангеев, — не захотел нас слушать. Но сейчас уже все в порядке. Он уже домой вернулся. Ладно, пришли нам еду как можно быстрее.

Нужно будет накормить и этого болтуна Абуталиба, подумал Ильдус, когда раздался звонок красного аппарата. Он устало вздохнул, но поднял трубку. Только этого сейчас не хватало — сам Эльбрус Казиев.

— Что у тебя происходит, Ильдус? — поинтересовался мэр города. — Мне докладывают, что у нас перестрелка в городе. Как это понимать? Я тебе только сегодня объяснил ситуацию, сказал, что у нас скоро будут серьезные гости, а ты решил отметить их прибытие стрельбой в городе?

— Ничего страшного, — устало пояснил Сангеев, — наш новый педагог из ружья пытался застрелить собаку, приняв ее за волка. А там рядом кто-то стрелял. Его легко ранили. Сейчас он уже вернулся домой. Ничего страшного не произошло.

— Тогда ничего, конечно. А то мне все рассказали иначе. Говорят, твой лейтенант убил несколько человек. Была перестрелка... Вот людям нравится рассказывать такие сказки!

— Да, — сдержанно подтвердил Сангеев, — действительно, сказки. До свидания.

Завтра нужно будет еще долго объясняться с мэром города. Но сегодня у него просто нет времени на эти объяснения. Он услышал в коридоре шаги. Открылась дверь. Это была Куляш. Она действительно пришла быстро.

— Молодец, — кивнул он, — садись в приемную и возьми рацию. Сейчас приедет Ризван, и мы с ним вместе уедем. Ты уже ужинала?

— Пока нет, но ничего страшного. Мама мне принесет, если нужно...

— Ничего не нужно, сейчас еду принесут из

«Тадж-Махала». А ты раздевайся и садись за свой стол. Сегодня нам нужна будет твоя помощь.

Нужно будет рассказать ей об убитом преступнике и задержанном Абуталибе, подумал Сангеев, чтобы она не испугалась. Нужно будет как-то спокойно ей об этом рассказать... Но «спокойно» не получилось — у него снова зазвонил телефон. Он подозрительно посмотрел на свой аппарат. Сегодня слишком много неожиданных звонков. Или неожиданности еще не закончились? Он снял трубку.

— Слушаю вас, — сказал он.

— Ильдус, это я, — узнал он голос хромого Назара, — у нас неприятности. Ты можешь срочно к нам приехать? Или прислать кого-нибудь из своих ребят?

ГЛАВА 9

За все время работы отеля «Мечта» Назар не звонил с такой просьбой ни разу. Он вместе с Сашей как-то справлялся со всеми проблемами, которые возникали в его заведении. Но сегодня он позвонил впервые. Сангеев нахмурился.

— Что у вас случилось? — спросил он.

— К нам гости приехали, — сообщил Назар, — двое гостей на таком шикарном внедорожнике «БМВ». Решили немного поразвлечься. Ты слышишь крики? Сейчас они в зале.

— А где Саша?

— Они его избили и выгнали. Я сам заперся в своем кабинете.

— Сейчас я к тебе Ризвана пошлю, — сразу сказал Ильдус, — а потом и сам приеду. Посмотрим, что у вас там творится.

Он схватил рацию.

— Ты где сейчас находишься? — спросил он, услышав голос сержанта.

— Только что домой приехал.

— Давай быстро в «Мечту». Возьми машину, проверь оружие и давай быстрее туда.

— Что там?

— Назар позвонил, просит помощи. Давай срочно. Я тоже туда подъеду.

Сержант был человеком опытным. Он тоже понимал, что Назар просто так звонить не будет и дергать по пустякам начальника милиции не станет.

— Сейчас еду, — сразу ответил он.

Ильдус потер свое ноющее плечо, вытащил оружие из кобуры, переложил его в карман. Устало вздохнул. Кажется, сегодняшний день будет самым трудным в его карьере. Вышел в приемную.

— Значит, так, Куляш, — сказал он негромко, — слушай меня внимательно и не перебивай. Сейчас приедет лейтенант Орилин. Пусть он сидит с тобой и никуда отсюда не уезжает. Еду должны принести из «Тадж-Махала». Сама тоже поешь. И еще одна просьба к тебе. Ты уже взрослая, все должна понимать сама: у нас здесь милиция, а не детский сад. Иногда бывают разные происшествия, о которых никто не должен знать. Ты меня понимаешь?

— Да, — испуганно кивнула она. У нее было детское выражение лица и большие круглые доверчивые глаза. Ей было двадцать четыре года, но можно было дать и шестнадцать.

— Внизу в камерах сидит Абуталиб, — сообщил Сангеев. — Он ни в чем не виноват, но я его посадил туда, чтобы он не болтал лишнего. Ты сама прекрасно знаешь, какой он сплетник. А мне нужно, чтобы никто не знал о том, что у нас сегодня происходит. Это очень важно, Куляш. Ты меня понимаешь? Очень важно. Там внизу у нас лежит убитый бандит.

Она не испугалась. Только глаза стали еще больше.

— Об этом никто не должен знать, — продолжал Сангеев, — ни один человек. И никого вниз не пускай. Ты — сотрудница милиции. Поэтому кто бы ни пришел, пусть сидит и ждет лейтенанта. Все поняла? Будет лучше, если ты вообще не будешь спускаться вниз. Лейтенант должен скоро приехать.

— Я поняла, — кивнула Куляш.

— Вот и отлично. А я пойду в нашу гостиницу. Скоро вернусь.

При упоминании гостиницы девушка немного покраснела. Майор нахмурился. Похоже, в этом городе все без исключения знали о том, что на самом деле представляет собой «Мечта». Видимо, мэр был прав: пора ее закрывать, иначе действительно будут неприятности.

Он быстро шел по улице, когда услышал вызов по рации.

— Я тебя слушаю, Ризван, что там у вас происходит?

— Они здесь все перевернули, — доложил сержант, — я даже не знаю, что мне делать. Они угрожали оружием.

— Будь осторожен, — сразу понял Сангеев, — не нужно рисковать. Я сейчас подойду. А где Назар?

— Он заперся внутри.

Сангеев убрал рацию. Только этого еще не хватало! Похоже, гости окончательно сошли с катушек. Нужно будет их как-то утихомирить, иначе придется искать еще две простыни для этих молодчиков.

Он почти бежал к гостинице. Плечо болело все сильнее. Через несколько минут Ильдус уже стоял у здания «Мечты», прислушиваясь к крикам и громкой музыке внутри. На улице перед зданием толпились люди. Только этого и не хватало! Люди испуганно смотрели на подходившего начальника милиции. Рядом с избитым Сашей стоял сержант. Майор подошел поближе. У Саши на скуле был заметный кровоподтек. И когда он начинал говорить, то болезненно прижимал руки к животу; видимо, его сильно ударили. Бармен буквально сгибался от боли.

— Что у вас там произошло? — спросил Сангеев.

— Приехали эти двое, — сказал Саша, морщась, — но у нас еще никого не было. Они начали пить. Много пили. Заказали самый лучший коньяк, а потом ругались и говорили, что в «Тадж-Махале» коньяк был лучше.

Это была правда. В «Тадж-Махале» хороший коньяк давали смешанным на четверть, в гостинице — наполовину. Ильдус об этом знал.

— Потом они заказали пиво и еще коньяку. Только сказали, чтобы им дали запечатанную бутылку. Я им принес из наших запасов. А к вечеру пришли наши девушки. Один сразу забрал Веселину и пошел с ней наверх. А второй, такой чернявый, стал говорить гадости Салиме. Он сказал ей что-то неприятное, она ему ответила. А потом и пошло. Они стали ругаться, кричать друг на друга. Он достал деньги и сказал, что покупает ее за тысячу. Но вы же ее знаете. Она ему бросила деньги в лицо и сказала, что с таким дерьмом даже за десять тысяч спать не будет. Он тогда совсем озверел. У нас гости были, еще двое, но они в углу сидели, даже не пытались вмешаться. Назар вышел, попытался ему объяснить, чтобы он не кричал, так тот сразу оружие достал и ударил Назара по голове. А потом сказал, что сейчас Салиму пристрелит. Но она стала на него кричать, что он не мужчина и никогда в нее не выстрелит. Вот тогда он совсем голову потерял и рукояткой пистолета начал ее избивать. Она вся в крови была, кажется, сознание потеряла. Я бросился ее защищать, но его напарник — он к тому времени спустился вниз — достал свой пистолет и начал бить меня. А потом выгнал всех нас из помещения. Назар заперся в своем кабинете, у него дверь хорошая. А эти двое там сейчас издеваются над Веселиной и Ламией.

— Закончил? — деловито спросил майор. — Очень хорошо. А вы все расходитесь, цирк закончился. Ничего не происходит. Саша, как много они выпили?

— Очень много. Совсем пьяные были.

— На ногах держались?

— С трудом. Против здорового мужчины они бы не выстояли. Если бы у них не было оружия...

— Ясно. Спасибо. Оставайся здесь и никуда не уходи. Сержант, сделаем так. Подойдешь с другой стороны и начнешь бить окна. Прямо разбивай сразу стекла, пусть думают, что там кто-то лезет. Только осторожно, они могут начать стрелять. Где здесь есть поблизости телефон?

— В соседнем доме, — показал Саша.

— Позвони Назару и скажи, чтобы он взял ружье. Когда я войду в зал, пусть открывает дверь и выходит со своим ружьем. Ясно?

— Сейчас позвоню, — обрадовался Саша.

— У вас на второй этаж была аварийная лестница, — вспомнил майор, — и она вела в коридор.

— Но там окно закрыто, — предупредил Саша.

— Ничего страшного. Что-нибудь придумаю. Ладно, беги звонить. Пусть выходит, когда услышит мой голос. Все понятно?

— Да, — Саша бросился к соседнему дому, чуть прихрамывая.

— Может, лейтенанта позовем? — предложил сержант.

— Не нужно. Он опять стрелять начнет, а я хочу с этими гостями переговорить, когда они протрезвеют.

— Это опасно, — осторожно сказал Ризван, — зачем вы рискуете жизнью ради этих двоих? Они немного покричат и успокоятся.

— Они уже не успокоятся, — возразил Сангеев, — тем более если достали оружие. Значит, ты бьешь стекла, чтобы они отвлеклись. Но только осторожно. Перед окном не вставай. Все понял?

— Конечно, понял.

— Возьми мою куртку.

Майор передал свою куртку Ризвану, чтобы она не стесняла его движений. Затем обошел здание и остановился у аварийной лестницы. Посмотрел на нее, потрогал. Она предательски скрипнула. Он поднял голову. Другого выхода нет. Входную дверь они заперли, а она довольно крепкая. Ее просто так не сломаешь. Придется лезть наверх. Но нужно быть осторожнее. Будет лучше, если он полезет в одной рубашке, чтобы пиджак не зацепился за какой-нибудь гвоздь. Он снял пиджак, повесив его на выступающий из стены металлический штырь и начал карабкаться наверх. Черт возьми, из-за этих гостей он в свои годы должен лазить по этой прогнившей лестнице, которая может рухнуть в любой момент. В одном месте ступенька даже провалилась, но он успел поставить ногу на следующую и удержаться. Он упрямо поднимался. Эти молодчики, кажется, решили, что могут превратить их город в один большой бордель и делать здесь все, что хотят.

Наконец он добрался до площадки на втором этаже, встал у окна и отдышался. Затем вытащил пистолет и осторожно ударил. Стекло не поддалось. Он ударил сильнее. Стекло треснуло. Черт возьми! Он ударил изо всех сил, стекло рассыпалось. Теперь нужно немного подождать. Если они услышат, как он разбивает окно на втором этаже, сразу поднимутся сюда. Нет, кажется, все тихо. Эта лестница на другой стороне дома, и оттуда ничего не услышишь. К тому же они громко включили музыку, а внизу кричат женщины. Какие скоты, измываются над беззащитными! Он достал рацию.

— Ризван, ровно через минуту начинаешь бить стекла.

Майор медленно двинулся по коридору, сжимая пистолет в руке. Эту гостиницу он хорошо знал. Внизу раздавались крики женщины и смех мужчин. Он начал спускаться по лестнице. Лестница внутренняя, его никто не может увидеть. Он спустился на первый этаж, встав перед дверью, ведущей в зал ресторана, и услышал, как бьет по окнам сержант. Крики сразу стихли. Раздался чей-то тревожный окрик. Потом громко закричала женщина — кажется, Веселина. И раздалось несколько выстрелов. Это уже совсем серьезно. Если бы дело происходило где-то на Западе, то можно было бы красиво закончить эту операцию. Дверь открывается, и вошедший шериф убивает обоих негодяев, освобождая женщин. Только на самом деле все наоборот. Шериф, или начальник милиции, сам патронирует этот бордель, а заезжие бандиты ему нужны живыми, чтобы наконец узнать, зачем они пожаловали в его город. Да и стрелять им в спину нельзя — потом нужно будет объясняться с прокуратурой и проверяющими из области. И так уже есть один труп в их изоляторе.

Он резко открыл дверь. Оба гостя стреляли в окно, по которому бил длинной палкой спрятавшийся за выступ сержант. Две раздетые женщины стояли в центре зала. Очевидно, негодяи гоняли их по кругу, получая своеобразное садистское удовольствие.

— Стоять! — громко приказал Сангеев, стреляя в воздух. — Не поворачиваться. Иначе пристрелю.

Каким бы пьяным ни был человек, он понимает язык оружия. Особенно когда стреляют у него за спиной. Оба бандита замерли. В этот момент открылась дверь и на пороге появился Назар с ружьем в руках.

— Бросайте пистолеты, — приказал майор, — если кто-то дернется, я сразу выстрелю.

Рашит, который стоял ближе к нему, чуть повернул голову.

— Ты у нас герой, начальник, — издевательски произнес он.

«Нужно было проверить их внедорожник, — с сожалением подумал майор, — напрасно я этого не сделал. Теперь приходится исправлять собственную ошибку».

Все было бы хорошо, если бы в этот момент Веселина не сделала два шага по направлению ко второму бандиту. Он этим мгновенно воспользовался, схватил женщину и прижал к себе, заслоняясь ею, словно живым щитом, от ружья Назара. Рашит прыгнул в сторону, стреляя в майора, но, конечно, не попал. Майор выстрелил в него. Он еще успел подумать, что сейчас пригодились навыки стрельбы, которые он периодически осваивал в областном управлении, куда их вызывали на переподготовку. Он дважды выстрелил и услышал, как завопил от боли Рашит.

— Бросай оружие! — приказал он второму. Тот отступал к дверям. В этот момент сержант в очередной раз ударил уже по другому окну. Услышав выстрелы, он правильно рассудил, что нужно всячески отвлекать внимание бандитов. Кажется, второго звали Караматдин, вспомнил майор. Именно этот долговязый выстрелил в окно, немного повернувшись. Назар мгновенно выпалил в него из ружья.

Назар всегда хорошо стрелял. Пуля попала в плечо, и Караматдин, взвыв от боли, выпустил из рук пистолет. Веселина с криком бросилась в сторону. Майор оглядел поле боя и удовлетворенно кивнул головой. Рашит лежал на полу и стонал — очевидно, пуля попала ему в ногу. Караматдин визжал от боли, Назар прострелил ему плечо.

Сангеев сделал музыку громче, затем подошел к входной двери, открыл ее и впустил Сашу с сержантом. Толпа на улице выросла вчетверо.

— Забери их оружие, — приказал майор сержанту, выходя на улицу. — Все по домам, — строго приказал он, — эти двое приезжих слишком много выпили. Начали стрелять, устроили драку. Сейчас обоих отвезут в милицию. Погибших, слава богу, нет. Идите по домам, у нас все нормально.

Люди начали расходиться. Он вернулся в гостиницу, приказав опустить жалюзи. Эти двое бандитов были настоящими дураками: они сами могли опустить их на первом этаже. Хотя они про них наверняка не знали. Их установили несколько лет назад, чтобы с улицы никто не мог увидеть, что именно происходит в большом зале.

Сержант забрал оба пистолета, оттащил раненого Рашита на диван, затем потащил туда же второго. Ильдус взглянул на раздетых женщин, нахмурился.

— Одевайтесь и никому не рассказывайте, что здесь произошло. Ламия, где Салима?

— Она в комнате бармена, — пояснила женщина, — он избил ее до полусмерти.

— Что здесь было?

— Они начали ругаться. Салима, как обычно, была не в духе, а он уже много выпил. Вел себя как скотина. Они сначала поругались, потом немного успокоились, потом снова начали ругаться. Тогда он достал пистолет и начал ее бить. Прямо по лицу пистолетом. Она сначала сопротивлялась, дралась, кричала, но когда он ее стал пистолетом по лицу... Мы все испугались, а Саша пытался ее защитить, только и ему тоже досталось... — Она с ненавистью посмотрела на стиснувшего зубы от боли Рашита. — Нужно было его пристрелить.

Рашит что-то процедил сквозь зубы, очевидно выругавшись.

— Мразь, ничтожество... — Она вдруг сорвалась со своего места и бросилась к раненому. Сержант и Назар с трудом оттащили ее, она буквально исцарапала все лицо Рашита. Тот даже закричал от неожиданности и боли.

— Хватит, — строго приказал майор, — не нужно истерики! Лучше выпей воды, оденься и успокойся.

Он прошел за стойку, в небольшую комнату бармена. Там в луже крови лежала Салима. Ее невозможно было узнать. Негодяй сломал ей нос, выбил зубы. Правый глаз был сплошным кровоподтеком, на голове тоже кровоточила рана. Она была без сознания. Ильдус нахмурился, взял на руки женщину, вынес ее из комнаты, передал на руки Саше.

— Срочно в больницу. Скажи, чтобы не болтали. Пусть сделают все, что можно. Ты меня понял? Как можно быстрее.

— Я с ними поеду, — предложила уже немного успокоившаяся Ламия, — если разрешите.

— Езжай, — согласился Сангеев.

— А с этими что делать? — спросил Назар. — Я бы их пристрелил.

— Ни в коем случае. Они мне нужны.

— Ты видел, что они сделали с Салимой?

— Видел. Не суетись, Назар. Вместо того чтобы меня успокаивать, ты меня заводишь. Вызови срочно врача; лучше, если сюда приедет Касым. Он хирург, был в Афганистане, знает, как лечить пулевые раны. Только быстро.

— Мы их еще лечить будем? — вздыбил брови Назар.

— Обязательно будем, — кивнул майор, не глядя на обоих бандитов.

Саша понес Салиму в свою машину. Ламия пошла за ними. Сержант проводил их и вернулся. По рации позвонил Орилин.

— Я уже вернулся, — весело доложил он, — нам принесли роскошный ужин человек на десять. Когда вы приедете?

— Скоро, — пообещал майор, — сиди на месте и никого не пускай вниз.

Он наконец взглянул на обоих негодяев. Рашит лежал на диване, стиснув зубы от боли, и старался не кричать. А вот его напарник выл от боли, катаясь по полу. Сержант подошел к нему и ударил его ногой.

— Не ори, — рявкнул он, — люди могут услышать!

Громко играла музыка. Назар позвонил в больницу, попросив прислать бригаду «Скорой помощи» и срочно найти Касыма. На часах было около восьми. Майор подошел к бандитам. Караматдин буквально выл от боли — очевидно, пуля задела кость. Зато Ильдус бесцеремонно повернул Рашита на бок. Так и есть, пуля попала в ногу. А у второго, очевидно, более серьезное ранение. Он брезгливо перешагнул через стонущего.

— Что ты думаешь с ними делать? — спросил Назар. — Зачем они тебе нужны?

— Их напарник лежит у меня в изоляторе убитым, — сообщил Ильдус, — его сегодня застрелил Орилин. Поэтому мне хочется с ними переговорить, прежде чем они уйдут за своим товарищем.

— Не уйдут, — уверенно ответил Назар, — еще день или два проживут.

— Я тоже надеюсь. Выключи, наконец, эту проклятую музыку и дай мне что-нибудь от головной боли! Голова раскалывается. Еда у вас какая-нибудь есть? Я сегодня не обедал и не ужинал.

— Сейчас принесу, — кивнул Назар.

Бригада «Скорой помощи» подоспела через несколько минут — больница находилась на соседней улице. Вместе с Касымом, которому было уже под пятьдесят, приехали женщина-врач и санитарка. Увидев раненых, обе женщины испуганно переглянулись.

— Входите, входите, — кивнул Сангеев, — не стойте в дверях. Касым, вы же бывший фронтовой хирург, были в Афганистане. Посмотрите, что у нас с этими молодчиками.

У Касыма был идеально круглый выбритый череп, словно бильярдный шар. Он быстро подошел к стонущему Караматдину, наклонился к нему. Присвистнул. Затем осмотрел второго раненого. Подошел к Ильдусу Сангееву.

— Я должен забрать их в больницу, — сообщил он, — у обоих тяжелые ранения. У первого, который лежит на полу, разворочено плечо, пуля застряла в теле. Второму повезло больше: кажется, кость не задета, но ходить он еще долго не сможет.

— Об этом не может быть и речи, — возразил майор. — Нельзя ли им помочь прямо здесь?

— Каким образом? Я же вам сказал, что это пулевые ранения, и у одного пуля застряла в теле. Если не оказать помощь немедленно, то он скоро умрет.

— Это бандиты. Они издевались над людьми, избили до полусмерти Салиму. Вы хотите, чтобы я спокойно отпустил их в больницу и вы их там лечили?

— Тогда зачем вы меня позвали? — спросил Касым. — Можете их пристрелить сразу. Если мы не поможем, они умрут. У второго тоже большая потеря крови. Я могу узнать, кто в них стрелял?

— Стрелял я, — сказал майор, — сначала выстрелил из пистолета вот в эту тварь, на диване, а потом из ружья, вот в этого на полу.

— Понятно, — кивнул Касым, — вы успели забрать ружье и выстрелить?

Было непонятно, шутит он или издевается. Сангеев нахмурился.

— Что еще можно сделать?

— Ничего. Я должен забрать обоих, — твердо сказал врач, — иначе нельзя. Если вы откажетесь, я буду вынужден сообщить главному врачу и в райздрав. Это будет квалифицировано как применение пыток. Я по Афганистану знаю, нельзя прямо так оставлять таких раненых.

— Там у вас были порядочные душманы, у которых хотя бы была какая-то идея, а эти — настоящие подонки... — махнул рукой Сангеев. — Сколько вам нужно времени на обработку этих раненых?

— На каждого часа полтора, не больше. Может, немного меньше.

— Сделаем так. Наш сержант поедет вместе с вами. Мы наденем на обоих наручники, и вы обработаете их раны. А потом мы заберем их в наш изолятор.

— Об этом не может быть и речи, — упрямо сказал Касым, — они ранены. Существует специальная конвенция...

— Конвенция распространяется на людей, а это не люди, доктор, это подонки, — убежденно возразил майор. — Впрочем, не буду спорить. Назар тоже поедет с вами, на всякий случай. И мы наденем наручники, чтобы они не сбежали из вашей больницы.

— Вы все-таки не понимаете, — покачал головой врач, — у них тяжелые ранения, и я буду обрабатывать их раны под наркозом. Они никуда не смогут сбежать. Во всяком случае, тот, кто лежит на полу, — он просто не выдержит. Второго я могу обработать и под местным наркозом.

— Действуйте, — кивнул Сангеев, — но наши люди поедут вместе с вами. Ризван, — позвал он сержанта, — в машине «Скорой помощи» поедут Назар, санитарка и врач вот с этим раненым, — показал он на продолжавшего кричать от боли Караматдина, — а ты возьми второго и другого врача. Поедете за ними. Только надень на него наручники. Ты все понял?

— Он испачкает мне машину, — угрюмо ответил Ризван.

— Значит, мы почистим ее за их счет, — отмахнулся майор, — действуй быстрее. Врач говорит, что они могут подохнуть от потери крови. И будь осторожен: даже в наручниках и раненный, он все равно опасен.

Пока выносили чужаков и собирали их вещи,

майор прошелся по залу ресторана. Конечно, мэр прав. Нужно было давно закрывать этот отель. Кроме неприятностей, он ничего не приносит.

Услышав шорох, Сангеев обернулся. Это была оставшаяся здесь Веселина. Она успела одеться и теперь испуганно смотрела на него.

— Как ты себя чувствуешь? — спросил майор.

— Спасибо, — кивнула она, — эти двое были как сумасшедшие. Я больше сюда не приду. Извините. Что я детям скажу? В таком виде... У меня все руки в синяках.

— Правильно сделаешь, — кивнул Сангеев, — заведение все равно закрывается. Может, помочь тебе с работой?

— Не нужно. Меня в школу зовут, уборщицей на две ставки. Лучше там убираться, чем сюда приходить. Извините, но я так испугалась... У нас ведь никогда такого не было...

— И больше не будет, — твердо заверил ее майор, — иди домой. Что-нибудь для тебя тоже придумаем.

Она кивнула и, глотая слезы, поспешила к выходу. Он снова оглядел помещение. Конец этому борделю. Он и не думал, что это произойдет так быстро.

Услышав сигнал рации, Ильдус достал ее и, включив, услышал голос сержанта:

— Я знаю, кто помогал им в нашем городе.

ГЛАВА 10

Ему показалось, что он ослышался.

— Что ты сказал? — переспросил майор.

— Я знаю, кто им помогал, — торопливо повторил Ризван, — это Владлен Семенов.

— Где вы находитесь?

— Мы уже в больнице. Оба раненых в палате. Касым сказал, что будет обрабатывать их раны вместе с другим дежурным врачом, чтобы быстрее оказать им помощь.

— Тоже мне гуманист-одиночка, — пробормотал майор. — Ты мне головой за обоих отвечаешь. Чтобы с Назаром в коридоре сидели и никуда не отлучались! Ты меня понял?

— Все понял.

— Откуда ты узнал насчет Семенова?

— У меня инструменты лежали на

переднем сиденье, которые я нашел в доме убитого Масимова, — сообщил сержант, — я вам докладывал, что нашел там инструменты под раскладушкой в тайнике.

— Да, да, я помню. Что там дальше?

— Они были завернуты в черную замшу, — продолжал сержант, — я прямо так достал их и переложил к себе. А когда мы решили, что раненый поедет в моей машине, я убрал их в багажник, чтобы они не попали в руки этого типа. Хотя я и надел на него наручники. Мы его перенесли и устроили на переднем сиденье, чтобы он у меня был перед глазами. А врач сзади уселась. Она так боялась его, словно он мог ее съесть...

— Потом расскажешь про Красную Шапочку! — рявкнул майор, теряя терпение. — Давай быстрее...

— Когда я вытаскивал его из машины, то обратил внимание, что у меня на полу что-то блеснуло. Подумал, что показалось. Они его в палату повезли на операцию, а я оставил Назара дежурить и вышел, чтобы машину переставить. И нашел на переднем сиденье металлическую заклепку. Алло, вы меня слышите?

— Я не понимаю, какую заклепку? — крикнул Сангеев.

— Заклепку, какие ставит на ремешки Семенов. Она, наверное, прицепилась к замше, а когда я убирал инструмент в багажник, упала. Алло, вы меня поняли?

— Да, я все понял. Скажи Назару, чтобы он не беспокоился, я сам закрою гостиницу.

Он вспомнил, что пиджак все еще висит на стене дома, где он его повесил. Усмехнувшись, он вышел из здания, обошел гостиницу и увидел свой пиджак. Он подошел к нему, снял, потрогал карманы. Во внутренних карманах пиджака лежали две пачки денег. Двадцать тысяч долларов, которые он нашел у бандита. И никто не тронул ни его пиджака, ни этих денег. «Город заблудших душ не всегда надо понимать, как что-то плохое», — подумал Сангеев. В этом городе жили разные люди... Но таких бандитов, которые нагрянули сюда, здесь никогда не было.

Надев пиджак, он вернулся в гостиницу, забрал свою куртку, которую сержант, уходя, оставил на стуле, снова огляделся. Настоящий бедлам. Нужно будет все отсюда убрать. Пусть будет интернет-клуб, если они хотят. Получается, что он приватизировал эту гостиницу, чтобы открывать здесь детские утренники... Тоже неплохо. Значит, все так и должно было быть.

Он прошел в кабинет Назара, опустил там жалюзи, нашел ключи от входных дверей. Бандиты запирали дверь изнутри на обычные засовы, а он взял ключи, чтобы закрыть двери снаружи. Потушил свет и, закрыв дверь, направился к дому Владлена

Семенова. Отсюда идти недалеко, дом через три улицы, ближе к зданию мэрии. Тогда этот дом, в котором жил Семенов, считался самым престижным в городе — его строили для сотрудников горкома партии. Просторные по местным меркам квартиры, большие санузлы, собственная котельная. Семенов жил там после смерти родителей и развода. Раньше он проживал в Ставрополе, но после развода оставил квартиру жене и сыну, а сам вернулся в родной город. Тогда еще была жива его мать. Он и поселился у нее в просторной четырехкомнатной квартире. Через полтора года мать умерла, и он остался один. Майор точно знал, что у Семенова не было никаких женщин. После возвращения обратно домой, после своего развода и смерти матери он замкнулся в себе и только появлялся на работе, добросовестно изготавливая свои заклепки. Наверное, эти заезжие бандиты сумели убедить его, что он заработает гораздо больше, сотрудничая с ними.

Сангеев поправил рацию, висевшую на боку, застегнул куртку и быстрым шагом пошел к дому, в котором жил Семенов. По дороге кто-то пытался его остановить и расспросить, но он извинился, сообщив, что торопится.

У дома он остановился, проверил рацию. Оружие можно было не проверять. Владлена он знал с детства. Семенов не тот человек, который будет стрелять или сопротивляться. Это был инфантильный, замкнутый интраверт, не способный на длительное общение с людьми. Похоже, именно такого и искали бандиты. Как ловко они все рассчитали! Либо спившийся Карпатов, либо нелюдимый Семенов, страдающий массой комплексов. А с другой стороны, кто попадает в сети преступников? Именно такие люди, у которых есть свои слабости. Играя на них, можно заставить людей выполнять чужие распоряжения.

Сангеев подошел к дому. На скамейке во дворе сидели несколько пожилых женщин. Он вежливо поздоровался, прошел дальше, направляясь в третий подъезд. На стене висела табличка, сохранившаяся еще с прежних времен. Когда-то здесь во дворе даже был пост милиции, ведь в этом доме жили все три секретаря горкома и все заведующие отделами. Как давно это было! Словно в прошлой жизни...

У Семеновых была сорок вторая квартира на третьем этаже. Майор поднялся в кабине лифта, которая, очевидно, доживала свои последние дни — так сильно она качалась и дребезжала. На третьем этаже кабина остановилась, и створки дверей раскрылись. Он вышел на площадку, подошел к сорок второй квартире. Нажал кнопку звонка, прислушиваясь. И почти тут же услышал шаги. Кто-то посмотрел в «глазок» и, не спрашивая, открыл дверь. Это был сам Владлен Семенов.

«Как он постарел», — невольно подумал Сангеев.

Семенов был моложе Сангеева лет на пятнадцать, но уже почти весь седой, лицо в глубоких морщинах, потухшие глаза. Нескладная фигура, опущенные плечи. Увидев начальника милиции, он кивнул ему так, словно именно его и ждал.

— Добрый вечер, — сказал майор, — как у тебя дела, Владлен?

— Спасибо, дядя Ильдус, — кивнул тот, — пока неплохо.

— Можно зайти?

— Да, конечно. — Семенов посторонился, пропуская гостя.

В квартире стоял затхлый запах, пахло плесенью, сором, пылью и старыми книгами. Их было много, но по их виду можно было сразу понять, что хозяин квартиры далеко не книгочей. В прежние времена хорошие книги выдавались по талонам, которые раздавал горком партии. Курировал подобные раздачи как раз заведующий отделом пропаганды и агитации. Именно поэтому в его доме были самые дефицитные книги. Когда-то они стоили целое состояние. Хорошую библиотеку могли обменять на машину или квартиру. Но прежние времена прошли, книги упали в цене и теперь не были нужны практически никому. Любую книгу можно было скачать из Интернета или купить в магазине.

Сангеев снял куртку, повесил ее в прихожей и прошел в гостиную. Владлен уселся за стол, апатично глядя на гостя. В глазах не было страха, только усталость. Такие люди равнодушны ко всему происходящему. Но они и самые опасные, так как не помогают друзьям, не враждуют с врагами и вообще предпочитают сохранять свое безучастное отношение ко всему, полагая, что это и есть общепринятая норма.

— Как живешь, Владлен? — снова поинтересовался Сангеев.

— Нормально, — кивнул Семенов, — кооператив у нас хороший. При желании можно заработать неплохие деньги.

— Почему не женишься? Никого не нашел?

— Пока мне и одному хорошо. Еще не отошел от первой женитьбы. Все время держать в доме человека, который тебя «пилит», очень неудобно.

— Наверное, да, — согласился майор. — Хочу у тебя узнать одну вещь. Только честно. Почему ты решил помогать им?

Наступило молчание. Долгое молчание. Затем наконец Владлен спросил:

— Кого вы имеете в виду?

— Ты знаешь, о ком я говорю. Я ведь не стал бы так просто тебя навещать.

— Это я понял, — пробормотал Владлен. — Что они вам рассказали?

— Они могут говорить все, что угодно. Но я знаю тебя уже много лет, с самого рождения. Поэтому пришел к тебе. Хочу тебя выслушать.

— Да, я им помогал. Они предложили мне большие деньги, и я решил, что глупо отказываться. Тем более что мы ничего особенно не делали. Вскрыли только две старые машины, которым давно пора гнить на свалке, и достали магнитофоны. Кстати, у Вахтадова магнитофон даже не работал.

— Заметь, что я не называл тебе этой фамилии.

— Ну, ясно. Ваши милицейские дела. Ловите меня на слове. Я честно все говорю.

— Кто к тебе приходил?

— Молодой такой парень. Наш новый педагог-стажер.

— Масимов?

— Да. Именно он. Я еще так удивился. Он мне честно сказал, что это эксперимент. Ему почему-то нужны именно эти старые магнитофоны, а их нигде нельзя найти. Он сказал, что это считается мелким хулиганством. Нам нужны не все магнитофоны, а какие-то определенные марки. Предложил работать с ним. Сказал, что есть люди, готовые платить очень большие деньги. Честно говоря, я ничего не понял. Зачем им эти старые магнитофоны? Может, золото ищут? Говорят, в старых магнитофонах бывали какие-то золотые пайки. Спросил у одного из наших, он меня высмеял. Говорит, нужно найти тысячу магнитофонов, чтобы хоть чуть-чуть золота из них добыть. Я так ничего и не понял.

— Но все же согласился вскрывать машины?

— Он сказал, что больше не будет вытаскивать магнитофоны, только будет смотреть их номера. Это даже не мелкое хулиганство, а просто глупая шутка. Мы вскрываем машину и просто смотрим номер магнитофона. Я согласился.

— Но до этого вы ограбили две машины? — настаивал Сангеев.

— Мы не грабили. В машине Вахтадова даже куртка лежала. Мы ее не тронули. А у Мелентьева в бардачке деньги были. Триста рублей. Мы их тоже оставили. Мы же не воры.

— Просто Робин Гуды... — зло пробормотал майор. — Что дальше?

— В первый раз пошли домой к этому повару, к Вахтадову. Я честно предупредил, что там есть собаки, но учитель только рассмеялся. Он бросил им колбасу с каким-то порошком, и они сразу уснули. Буквально мгновенно. Мы открыли машину, он достал магнитофон и посмотрел на часы. Потом мы ушли. Я даже думал, что учитель выбросит магнитофон, но он забрал его с собой. А во второй раз вскрыли машину Мелентьева. Тоже совсем старая. И на этот раз он быстро вытащил магнитофон и на часы посмотрел.

— Два раза ты участвовал в грабежах, — мрачно заметил Сангеев.

— Он сказал, что это проверка. А самая главная проверка будет, когда он попросит меня одновременно открыть сразу пять или шесть внедорожников. Сказал, что очень рассчитывает на меня. Обещал заплатить много денег. Выдал аванс — три тысячи долларов. Они до сих пор у меня лежат, я их не тратил.

— Зачем ему шесть внедорожников? — нахмурился майор.

— Не знаю. Он ничего не сказал. А я думал, что они проверяют безопасность машин. У нас ведь никто машины не грабил и никуда их не угонял. Машины ему, конечно, не нужны. Наверное, действительно какой-то редкий магнитофон ищет. Может, ему нужна какая-то определенная марка. Или это какой-нибудь тайный эксперимент.

— А если все гораздо проще и ему нужно было узнать, как быстро ты сможешь открыть машины?

— Для чего? — удивился Владлен. — Куда отсюда угонишь машину? Со всех сторон горы, в семидесяти километрах граница, а с другой стороны город с химическим комбинатом. Куда сбежишь? Просто некуда. Вот поэтому я и согласился.

— Что было потом?

— Позавчера мы поехали на свалку, и он при мне выбросил оба магнитофона. Чтобы я убедился в том, что он не вор, чтобы я ему поверил. А я и так ему поверил, когда он деньги у Мелентьева не взял.

— Твой знакомый — убийца, — сообщил Сангеев, — он убил Петра Карпатова, который не захотел с ними сотрудничать. В отличие от тебя тот сразу понял, что это не обычный эксперимент, а какая-то афера. Вот за это Масимов и убил Карпатова.

— Не может быть, — испугался Владлен, — мы ведь даже машины не трогали! Только старые магнитофоны забирали. Зачем из-за них человека убивать?

— Ты дурачка из себя не строй, — разозлился Сангеев, — не пытайся меня убедить, что ничего не понял. Им нужен был человек, который сумеет достаточно быстро и надежно вскрывать внедорожники. И таким человеком согласился стать именно ты.

— Но мы не трогали внедорожники, — закричал Семенов, — мы их вообще не смотрели! Только старые магнитофоны вытаскивали. Какое убийство, о чем вы говорите?

— Его убили, чтобы скрыть твои преступления, — безжалостно подвел итог Сангеев. — Ты лучше не зли меня. Одевайся быстрее, пойдем с тобой в милицию, как раз увидишь своего друга.

— Он сможет подтвердить, что мы машины не трогали. Даже деньги у Мелентьева не взяли.

— Он уже подтвердил. А когда ты должен был эти внедорожники открывать?

— Завтра утром, — сообщил Владлен, даже не понимая, что именно он говорит. Впрочем, и понимая, он бы все равно не осознал меру своего падения.

— Одевайся, — коротко приказал Сангеев, — проедем туда и устроим вам очную ставку. Сколько машин ты должен был завтра открыть.

— Пять или шесть.

— Точнее.

— Не знаю.

— Чьи машины, ты знаешь?

— Ничего не знаю. Он сказал, что покажет мне машины завтра. Я еще удивился, где могут в нашем городе одновременно стоять шесть внедорожников. У нас таких мест нет.

— Он бы нашел тебе хлебные места, — тяжело выдохнул майор, — а после того, как ты открыл бы эти машины, они бы тебя пристрелили. Безо всякой пощады. Просто так.

— Если бы я понял, что это убийцы, я бы отказался открывать машины.

— Тогда убили бы сразу.

— Ничего не понимаю...

— Ты много чего не понимаешь, Владлен. И самое главное — зачем им нужно столько машин? Куда они их денут, как сумеют вывезти отсюда и продать?

— Я так понял, что машины ему нужны не для продажи. У них действительно был какой-то эксперимент.

— Ты или законченный идиот, или пытаешься сделать идиота из меня, — рассердился Ильдус. — Одевайся! Пойдем быстрее. Уже совсем поздно.

170

— Сейчас оденусь. А Карпатова действительно убили?

— Нет, отвезли в санаторий для ветеранов войны. Одевайся быстрее. Я тебя жду.

Владлен вышел в другую комнату. Сангеев покачал головой, подошел к окну. Как можно быть настолько наивным! Или настолько бесчувственным. Кажется, ему абсолютно все равно, что происходит в этом мире. Он живет в своей пыльной квартире, проводит здесь большую часть времени и вполне доволен собой. А если учесть, что ему платят неплохие деньги за несложную работу, то какие могут быть претензии к этому тридцатипятилетнему инфантильному дебилу, который так и не понял главных ценностей своей жизни?

Семенов вышел из спальной. Он уже был одет.

— И возьми деньги, которые тебе дали, — предложил майор, — может, там они понадобятся.

— Уже взял, — грустно сообщил Владлен. — Я сразу понял, что вы захотите их у меня отнять.

— Пошли быстрее, нас ждут, — приказал Ильдус.

Они вышли на лестничную площадку, Владлен запер дверь на ключ. Даже ключ у него был какой-то особой формы.

— Сначала зайдем в больницу, — предложил Сангеев, — она здесь рядом находится. А уже потом к нам пойдем.

— Как хотите, — ответил Семенов, — мне все равно.

Ильдус достал рацию

— Как у вас дела, Ризван? Что нового?

— Ничего. Обе операции пока идут. Мы дежурим в коридоре. Вы уже вызвали следственную группу из области?

— Пока нет. Зачем им дергаться ночью? Завтра позвоню. Наш мэр тоже так считает.

— Наверное, правильно считает, — рассудительно отозвался Ризван, — что они здесь ночью увидят? Вы один придете?

Майор посмотрел на идущего впереди него Семенова.

— Нет, не один, вместе с Владленом Семеновым.

— Вы его арестовали? — громко спросил нетактичный сержант. Очевидно, Семенов услышал и зябко поежился.

— Нет, — ответил майор, поглядывая на Семенова, — мы сейчас вместе и придем. До свидания.

Он быстро отключился, чтобы сержант не успел ничего больше сказать. Было уже поздно.

— Пойдем быстрее, — сказал Сангеев, — нам нужно увидеть двух раненых.

Он даже не мог предположить, чем закончится сегодняшний вечер и какую роковую ошибку он совершил, решив не вызывать ночью сотрудников прокуратуры. Возможно, самую главную ошибку в своей жизни.

ГЛАВА 11

Они подошли к больнице. Семенов все время молчал, словно обдумывая все, что сказал ему Ильдус Сангеев. Мужчины вошли в здание, их встретил сержант Максудов.

— У одного операция закончилась. Другой тоже в порядке, сейчас уже зашивают. Только врач сказал, что они здесь останутся еще на неделю.

— У нас времени только до завтрашнего утра, — пояснил майор, — поэтому пусть дурака не валяет. Где этот доктор?

— Не знаю. Он закончил операцию и пошел куда-то по коридору.

— А главный врач где?

— Уже ушел.

— Но Назар хотя бы дежурит в коридоре?

— Конечно, дежурит, — кивнул сержант. — Но они оба в таком состоянии, что никуда не сбегут.

— Мы должны отвезти их к себе, — твердо решил майор. — Где этот врач? Куда делся Касым?

— Он у себя, — показала одна из санитарок, проходившая по коридору.

Майор повернул в ту сторону, куда показала санитарка.

— Оставайтесь здесь, — приказал он сержанту и Семенову, который шел за ним, понуро опустив голову. Быстро прошел к кабинету врача, открыл дверь, даже не постучав. Касым мыл руки. Он поднял голову.

— Ах, это вы! Добрый вечер. Как видите, я был прав. У одного из ваших «подопечных» очень тяжелая рана. Пуля застряла в теле, пришлось доставать ее. Я сейчас сделал ему укол, он уснул. Проснется только завтра вечером. А второй гораздо лучше: ему сделали операцию под местным наркозом.

— Очень хорошо. Я должен забрать обоих, — твердо сказал Сангеев.

— Об этом не может быть и речи, — покачал головой доктор, — я уже вам говорил. Один вообще будет не в состоянии разговаривать еще целые сутки. Второму мы сейчас тоже дадим снотворное. Можете не беспокоиться, они никуда не сбегут, в этом я вас уверяю.

— Доктор, у меня нет времени с вами спорить, — устало произнес Ильдус, — положение очень сложное. Мне нужно до завтрашнего утра допросить обоих и узнать, что именно замышляет их группа.

— Каким образом? Я же вам сказал, что они нетранспортабельны. И после наших уколов будут спать.

— Они не будут спать. Если нужно, вы сделаете им еще один укол и постараетесь разбудить. Или я начну сам будить их своими методами. Только спать они точно не будут.

Касым внимательно посмотрел на стоявшего перед ним начальника городской милиции.

— Вы знаете, — медленно сказал он, — я четыре года был в Афганистане, военным медиком. Всякого насмотрелся. Но вы меня все равно не сумеете убедить в своей правоте. Я вам уже сказал, что это невозможно. Раненые останутся у нас.

Сангсов хотел грубо ответить ему, но внезапно передумал, повернулся и стремительно вышел из кабинета. Касым удовлетворенно кивнул, вытер руки и уселся в кресло, чтобы заполнить необходимые документы. Именно в этот момент в кабинет снова вошел начальник милиции.

— Можно вас на минуту? — попросил он.

Касым поднял голову.

— Я думал, что мы уже договорились.

— На одну минуту, — сдерживая нетерпение, пробормотал Ильдус.

Касым пожал плечами и вышел из кабинета следом за своим нетерпеливым гостем.

— Куда мы идем? — спросил он.

— На второй этаж, — ответил Сангеев, — здесь рядом, совсем близко.

Они поднялись по лестнице на второй этаж. Ильдус стремительно прошел к дверям одной из палат, раскрыл их и пригласил врача войти. Тот нахмурился, но вошел. На кровати лежала перебинтованная Салима. Она спала.

— Посмотрите, — сказал Сангеев, — они сломали ей нос, перебили ключицу, сломали два ребра. У нее все тело в кровоподтеках. Если я сейчас не увезу этих подонков к себе, то завтра, возможно, таких женщин будет гораздо больше. Вы этого хотите?

Касым подошел к кровати. Целую минуту стоял и смотрел. Затем повернулся к начальнику милиции.

— Вы уверены, что это сделали именно они?

— Я видел это собственными глазами. Просто появился там слишком поздно.

— Хорошо. Можете их забирать. Но один все равно будет спать до завтрашнего утра. Мы ему ввели слишком сильную дозу успокоительного. Сейчас его трогать опасно, иначе у него просто остановится сердце. А второй пока может рассуждать и говорить. Мы сделали ему операцию на ноге под местным наркозом.

— Тогда пусть первый остается у вас, а я возьму второго, — решил Сангеев, — он мне очень нужен. Можно я оставлю рядом с палатой, где будет лежать раненый, своего человека?

— Можно, — кивнул Касым, — я предупрежу дежурного врача.

«Назар останется в больнице, а потом его сменит сержант, — решил Сангеев, — а сейчас мы вместе с Ризваном заберем Рашита к нам в милицию, и, если он не захочет отвечать, я изобью его еще сильнее, чем он избил Салиму».

Вместе с Касымом он спустился на первый этаж. Врач отдал необходимые указания. Через некоторое время Рашита вынесли на носилках и погрузили в машину «Скорой помощи». Рядом с водителем сел Ильдус Сангеев. А сержант забрал в свои «Жигули» Семенова. Так они и приехали в здание городской милиции. Рашита вынесли из машины, и сержант вместе с лейтенантом отнесли его вниз, где уложили в свободную камеру. Абуталиб с ужасом наблюдал за раненым. Когда машина «Скорой помощи» уехала, Ильдус взглянул на Куляш.

— Спасибо, ты нам очень помогла. Можешь идти домой.

— Если нужно, то я могу остаться.

— Нет. Ты поела?

— Да, спасибо. Все было очень вкусно.

— Тогда иди домой. Завтра с утра придешь.

Она собрала вещи и быстро ушла. Он запер входные двери, затем приказал Орилину:

— Садись на телефоны. Кто бы ни звонил, ты не знаешь, что произошло в городе. Кто стрелял и почему... Ты ничего не знаешь и не можешь меня найти.

Лейтенант кивнул в знак согласия. Майор, подталкивая Владлена Семенова, спустился вместе с ним вниз. За ними шел сержант. Когда они вошли в изолятор, сержант запер за собой дверь.

— Иди, иди, — показал Сангеев, — сейчас мы вам устроим «очную ставку» с твоим напарником.

Он завел испуганного Семенова в камеру, где лежал труп Салмана Масимова. Эффектно сдернул простыню.

— Узнаешь? — спросил он.

— Да, — отшатнулся от тела Семенов, — это он. Это мы вместе с ним были.

— Не сомневаюсь, — сказал Сангеев, — вот вам и «очная ставка». Мы застрелили его, когда он пытался сбежать. Можешь подтвердить, что это он?

— Да, — кивнул Семенов, — это действительно он. А почему вы его застрелили?

— Просто шутили, — поморщился начальник милиции, — решили таким образом позабавиться. Нам казалось, что это будет смелым экспериментом.

— Что вы такое говорите? — прижался спиной к решеткам Семенов.

— Несу чушь, как и ты примерно час назад, — зло

заявил Сангеев, — чтобы ты примерно понял, как чувствует себя человек, которому вешают лапшу на уши.

— Я говорил вам правду.

— Вот поэтому посидишь в соседней камере и подумаешь о своей правде. — Ильдус толкнул Семенова в соседнюю камеру, закрывал за ним дверь.

— Нет, — крикнул тот, — не нужно! Я ни в чем не виноват!

— Неужели Владлен тоже был в их банде? — спросил изумленный Абуталиб через решетку.

— Он признался, что хотел ограбить твою машину, — зло сообщил Сангеев, отворачиваясь. Он подошел к камере, где на носилках лежал Рашит, вошел в нее, запер за собой дверь.

— У меня нет времени, — сообщил он. — Насколько я понял, утром вы готовите какую-то акцию. Кто, какую и зачем? Только быстро.

— А который час? — неожиданно спросил Рашит, поднимая голову.

— Почти одиннадцать вечера. У тебя предусмотрен какой-то моцион или массаж, расписанный по времени? Зачем ты спрашиваешь?

— Просто интересно, сколько вы меня здесь будете держать.

— Сколько нужно, столько и будем держать. Будем разговаривать?

— Не будем, начальник. Ты все равно меня не

простишь. И не потому, что ты такой честный и принципиальный, а потому, что я твой бордель разорил и твоих девок избил. Думаешь, что никто не знает о том, как ты прикрываешь все эти злачные места? Ты был «крышей» этого борделя. — Рашит даже приподнялся на локте, чтобы произнести эту обличительную речь.

— Как ты у нас заговорил, — хмыкнул Сангеев. — Значит, все помнишь и знаешь. Итак, у меня к тебе только два вопроса. Зачем вы к нам пожаловали и что завтра должно произойти? Ответь на эти два вопроса, и я оставлю тебя в покое.

— А иначе будешь меня пытать? — криво усмехнулся Рашит.

— Нет. Сначала я сломаю тебе ребра. Затем — ключицу. Потом начну выкалывать глаза. Я буду придумывать для тебя самые страшные пытки.

— Не успеешь. Скоро приедут ваши офицеры, и меня заберут в областной центр. — Откуда Ильдусу было знать, что этими словами хитрый бандит проверяет, звонил ли он в другой город?

— Не заберут, — покачал головой Сангеев, — я пока не оформил протокол твоего задержания. Поэтому ты у нас — чистый и непорочный, как ангел. Будешь говорить?

— Мне нужно подумать, — ответил Рашит, —дай хотя бы один час.

— У меня мало времени. Лучше давай без размышлений.

— Нет, — твердо ответил Рашит, — я все расскажу только через час или два. Дайте время подумать. Мне только что сделали сразу два укола. Я даже разговаривать нормально не могу. Дайте мне время, чтобы я пришел в себя.

Сангеев посмотрел на сержанта. Тот пожал плечами. В общем, получалось, что этот бандит прав.

— Вы хотя бы знакомы друг с другом? — показал в сторону камеры Семенова майор.

— Первый раз его вижу.

— А Салмана Масимова тоже не знал?

— Почему не знал? Знал, конечно. Почему ты о нем в прошедшем времени говоришь? Это мой родственник.

— Он у нас в соседней камере лежит под простыней. Слишком горячий был у тебя родственник, слишком невоспитанный. Хотел сбежать, даже не попрощавшись. Вот мы его и остановили, — с явным удовольствием сообщил Сангеев.

— Жаль, что ты мне в ногу попал. Я бы тебя зубами загрыз, — пообещал Рашит.

— Успеешь еще зубы на мне поточить. Лучше рассказывай, зачем вам нужны были эти внедорожники? Для каких целей?

— Ничего не помню. У меня голова кружится.

И вообще ночью нельзя допрашивать. Я раненый, имею право спать в тюрьме сколько хочу.

— Это не тюрьма, а изолятор, — сообщил Ильдус, — и ты не паясничай. Я уже сказал, что разобью твое красивое лицо вдребезги, если начнешь мне сказки рассказывать.

— Ты у нас еще и садист, — выдохнул Рашит, — я так и думал, когда впервые тебя увидел.

— Садист — это у нас ты, — возразил Сангеев, с трудом сдерживаясь, — тоже мне мужчина. С молодой женщиной справиться не смог и сразу пистолет вытащил! Какой ты мужчина? Ты, наверное, без оружия вообще к женщинам не ходишь? Ничего другого показать не можешь, чтобы произвести на них впечатление?

Рашит завыл от бешенства. Оскорбление было неслыханным, страшным. Внезапно он улыбнулся, блеснув зубами

— Говори что хочешь, начальник. Ты все равно проиграл. Можешь взять нож и порезать меня на куски. Я буду смеяться тебе в лицо. Можешь меня прямо сейчас пристрелить. Я все равно ничего тебе не скажу. Делай что хочешь.

— Я так и сделаю, — спокойно кивнул майор, — сначала буду стрелять тебе в ноги, потом в руки. А под конец пущу пулю в голову. Ты готов?

Рашит тяжело задышал.

— Который час? — спросил он.

— Половина двенадцатого, — сообщил Сангеев. — Зачем тебе время? Ты все равно отсюда живым не уйдешь. Я просто не отпущу тебя, даже если все управление областной милиции приедет в наш город за тобой. Я тебе не прощу избитую женщину.

— Неужели она тоже была твоей любовницей? — нагло спросил Рашит. — Но ты, наверное, пользовался ею бесплатно, как «папа» этого заведения. А я ей деньги предлагал. Большие деньги. Только она, дура, начала меня оскорблять и деньги мне в лицо швырнула. Вот тогда я и решил показать ей, кто из нас мужчина.

Сангеев, не выдержав, ударил его по лицу. Сильно ударил. Рашит, облизнув губы, ухмыльнулся.

— Давай, начальник, начинай свою работу. Не медли.

— Кто и зачем должен здесь появиться? — тихо спросил майор. — В последний раз спрашиваю. Если не ответишь, начну стрелять. И учти, что у меня еще один твой дружок есть. Ты не захочешь говорить — я из него все вытащу. Он сейчас в таком состоянии, что долго сопротивляться не сможет, сам все расскажет.

— Ничего ты ни у кого не вытащишь, — почему-то торжествующе сказал Рашит, — поздно уже. Раньше нужно было нас допрашивать.

— Почему поздно? — не понял Ильдус.

— Уже скоро полночь, — пояснил Рашит, — по

вашим правилам нельзя так поздно допрашивать заключенных.

Он нарочно тянет время, неожиданно понял майор, он уверен, что время на его стороне. Чего-то ждет, почему-то радуется. Что-то здесь не так. Нужно скорее выбить из него признания.

Он не успел продумать эту мысль, когда услышал, как по лестнице буквально скатился лейтенант Орилин. У него было дикое выражение лица.

— Там... — пытался выговорить лейтенант, — там... в больнице...

— Что случилось? — спросил Сангеев. — Говори скорее.

— Казбек. Приехал Казбек, — выдохнул Орилин, — он вошел в палату и увидел свою дочь.

— Кто его туда пустил? Где был Назар?

— Он дежурил на первом этаже рядом с палатой раненого.

— Что дальше?

— Казбек вошел и увидел свою дочь. Говорят, что он стоял и целую минуту на нее смотрел. А потом вышел из палаты. Ружье у него было с собой...

— Дальше! — закричал Сангеев.

— Он вошел в палату к тяжелораненому и выстрелил ему прямо в голову. Тот умер на месте.

Наступила тишина. Рашит поднял голову, пытаясь осмотреться. Сангеев растерянно опустился на койку. Только этого еще не хватало. Теперь уже ничего не скроешь. Мало того, что в этом городе сразу оказалось несколько бандитов, так нашелся еще и такой мститель, который сам расправился с бандитом. Теперь их город действительно прогремит на всю область, если не на всю страну.

— Нужно было забрать его с собой, — подал голос сержант.

— Где сейчас Казбек? — тихо уточнил Сангеев.

— Сидит в больнице рядом с палатой и ждет, когда вы приедете. Так и сказал, что ждет именно вас. Вам туда ехать нельзя. Он может выстрелить и в вас, — сказал лейтенант.

— Может, — кивнул Ильдус, — но я все равно поеду. Это мой долг. Он все равно никому другому свое ружье не отдаст.

Сангеев поднялся и пошел к выходу. Сержант тяжело вздохнул и пошел за ним. Лейтенант оглядел оставшихся в клетках изолятора задержанных и, ничего не сказав, повернул за остальными. На часах было без двадцати двенадцать. Он еще не знал, что наступает день Апокалипсиса для всего их города.

ГЛАВА 12

Все произошло не совсем так, как рассказал Альберт Орилин. Казбек узнал о том, что его дочь попала в больницу, уже через час после того, как весь город облетела весть о случившейся драке и перестрелке в гостинице. Как обычно бывает в подобных случаях, нашлось немало очевидцев, которые рассказывали о героических действиях сотрудников милиции, о преступниках, засевших в гостинице, о выстрелах... Стараниями сплетников число преступников выросло до десяти, а все три молодые женщины, работавшие в гостинице были растерзаны и убиты. Казбек услышал новости одним из последних. После того как Салима ушла из дома, он жил замкнуто, одиноко. В последний раз они виделись там, в этом проклятом месте, о котором ходило столько неприятных слухов. Он пришел, чтобы спасти свою дочь, вытащить ее из этого ада. Но как можно спасти человека, если тот сам этого не хочет? И какой ад может быть страшнее заблудшей души человеческой? Он дважды выстрелил в потолок, словно ожидая, что этим образумит свою дочь. Но с ней невозможно было разговаривать. И он ушел, чтобы больше с ней не видеться. Он даже не думал, каким страшным наказанием это будет прежде всего для него.

Казбек вошел в больницу, поднялся на второй этаж. Увидев его, испуганная санитарка бросилась куда-то в сторону. Казбек вошел в палату и увидел свою дочь. Она лежала перебинтованная, избитая, истерзанная, подключенная к проводам, не откликающаяся на его слова. Какой отец мог спокойно лицезреть эту сцену? Сердце какого отца не дрогнуло бы при виде этого ужаса? Казбек был мужчиной. Но он был и любящим отцом. Каждый день, проведенный Салимой в этом заведении, был не просто позором, а настоящим испытанием для самого Казбека. И сейчас он вышел из палаты, чтобы узнать, кто именно сотворил такое с его дочерью. Долго искать не пришлось. Испуганная санитарка рассказала ему, что один из бандитов прооперирован и лежит на первом этаже. Казбек спустился вниз. Ружье у него было всегда с собой. Он вошел в палату, чтобы посмотреть в глаза этому негодяю. Но негодяй тоже спал, опутанный проводами и перебинтованный. Казбек поднял ружье и тут же опустил его. Он не мог убить человека в таком состоянии, спящего и не способного оказать сопротивление. А самое главное, что человек этот так бы и не понял, почему его убили. Нет, такую легкую смерть он этому мерзавцу не подарит. Именно поэтому он поднял ружье и выстрелил по своей старой привычке в потолок. Негодяй, конечно, не проснулся, зато выстрел слышала вся больница. Испуганная санитарка сразу же позвонила в милицию, сообщив об убийстве.

Когда Сангеев приехал в больницу, Казбек безучастно сидел в коридоре, сжимая свое ружье. Майор прошел в палату, убедился, что второй бандит все-таки жив, вышел в коридор и присел рядом с Казбеком.

— Ты видел мою дочь? — спросил Казбек, глядя перед собой невидящими глазами.

— Видел, — кивнул Ильдус.

— Кто это сделал? Мне сказали, что один из них здесь.

— Он ему помогал. Но это не он.

— Тогда где тот, что сделал это?

— У меня в изоляторе.

— Отдай его мне.

— Ты прекрасно знаешь, что я не могу. Он ответит за все свои преступления по закону.

— Разве ты всегда действовал по закону, Ильдус? — спросил Казбек. — И когда открывал эту гостиницу, где был твой закон? А когда там работали женщины, куда смотрел твой закон? Нет, Ильдус, закон никого не защищает и не карает. Он никому не нужен, такой закон, если его можно использовать как хочешь.

Сангеев молчал. Он не хотел спорить с потрясенным отцом.

— Иди домой, Казбек, — попросил он. — Сейчас уже поздно, первый час ночи. Иди домой, а завтра мы поговорим. Тебе понадобится много сил, чтобы поставить дочь на ноги.

Казбек молчал. Он, казалось, превратился в неподвижное изваяние.

— Я останусь здесь, — наконец сказал он. — Когда ей было плохо, я бросил и предал ее, Ильдус. И она осталась одна с Иблисом, дьяволом, который совратил ее. Я больше ее не брошу. Я останусь здесь, Ильдус.

Сангеев понял, что спорить с ним бесполезно. Хорошо, что все так закончилось. Старый Казбек был мудрым человеком. Но прежде всего он был мужчиной, который не стал стрелять в беззащитного человека, лежавшего после операции без сознания. Сангеев поднялся и, не прощаясь, вышел из больницы. На улице его ждал сержант.

— Поехали обратно, — приказал майор, усаживаясь в его «Жигули».

По дороге они обратили внимание на открытые окна, откуда перекрикивались друг с другом соседи.

— Сегодня весь город словно с ума сошел, — пробормотал сержант, — почему не могут нормально позвонить? Нужно обязательно кричать. Ничего не понимаю.

Они доехали до здания милиции, въехали во двор. Сангеев поднялся к себе в кабинет.

— У нас городской телефон не работает, — сообщил Альберт Орилин, — я уже звонил на телефонную станцию, они сами не понимают, что происходит.

— Почему не работает? — устало спросил майор, усаживаясь на стул. — Что опять там случилось?

— Не знаю. Говорят, что по всему городу отключилось. Везде не работает телефонная связь. Даже с электростанцией связаться не могут. Говорят, что кабель вышел из строя. Странно, что это произошло ночью и так быстро. Сейчас только половина первого ночи. Но завтра утром пошлем механиков в соседний город, все проверим. И самое главное, что никакого ветра нет, никакого урагана. Почему кабель должен был порваться именно сейчас?

Сангеев снова посмотрел на часы, вспомнил улыбку Рашита, как тот тянул время. И, быстро поднявшись, пошел в изолятор. Спустился вниз. Рашит лежал на койке, но явно не спал. Майор вошел в его камеру, сел рядом с ним.

— Значит, время работает на вас? — спросил он.

— Понял наконец, — усмехнулся Рашит. — Ваши телефоны перестали работать. Теперь понял.

— Что еще вы придумали? — спросил Ильдус.

— Теперь я могу тебе сказать, начальник. Ты все

равно ничего не сможешь сделать. Через несколько часов здесь будут мои друзья. Много друзей, начальник. Они меня отсюда на руках вынесут, и мы вместе, куда нам нужно, уйдем. И никто нас уже остановить не сможет. И ты тоже ничего не сможешь сделать. Уже поздно, начальник, телефоны у вас не работают. Дорога перекрыта; даже если кого-то сейчас попытаешься послать, он не доедет до соседнего города. А ночью через горы даже твои охотники не поедут. Утром здесь будут совсем другие порядки. Мы хотели уйти тихо; взять несколько внедорожников и уйти тихо. Но ты не дал нам так уйти. Теперь придется уходить громко и еще хлопнуть дверью. Ты не оставил нам другого выхода, начальник.

Сангеев начал понимать, о чем говорит задержанный бандит. Они готовили операцию по прорыву через границу. На обычных машинах пройти по горным дорогам практически невозможно, да и пограничники не дадут так просто проехать. Нужны мощные внедорожники. Они прислали сюда сначала Салмана Масимова, а потом двоих напарников ему в помощь. Они знали точно, какие машины им следует выбирать. Магнитофоны были глупой уловкой, их интересовали машины. Конечно, уйти они хотели тихо и для этого нашли Владлена Семенова, чтобы легко вскрыть понравившиеся им автомобили. Они действительно хотели уйти за границу. Шесть машин. Примерно тридцать человек. Это, скорее всего, банда Малика Кулмухаметова. Они хотели только забрать машины. И перерезали телефонный кабель, прекрасно зная, что примитивные милицейские рации в горах не работают, а мобильной связи здесь нет.

— Что задумался, начальник, — явно издеваясь, спросил Рашит, — испугался? Но ты не бойся. Ворон ворону глаз не выклюет. Мы же знаем, что ты свой. Деньги берешь со всех, свой бордель открыл и «крышевал». Не бойся, тебя трогать не будут. Пересидишь тихо в своем кабинете. Только ключи оставь, когда будешь уходить, чтобы меня отсюда вынесли. С такой ногой я сам уйти не смогу.

— Значит, ты думаешь, что я разрешу тебе уйти? — невесело спросил Ильдус.

— А куда ты денешься, майор? Телефоны уже не работают. Пошли кого-нибудь на дорогу, посмотрим, далеко ли он уйдет. Все закончилось, майор. Как говорят в таких случаях — «финита ля комедия».

— Ты еще и образованная сволочь, — зло произнес Сангеев. — Только ты учти, что я вам не ворон из вашей стаи. Это вы — воро́ны трусливые, а я — орел. И с вами водиться не намерен. Я вас всегда бил, бью и буду бить.

— Какой ты орел, мы сегодня утром увидим. Будешь сидеть и дрожать от страха в своем кабинете, — ухмыльнулся Рашит. — Ладно, уходи отсюда, мне спать нужно.

— Я тебе еще не все сказал, — наклонился к нему Сангеев. — Тебя ищет отец молодой женщины, которую ты избил. Он у нас известный охотник. В больницу приходил, но тебя не нашел. Я думаю, что, прежде чем ты отсюда выйдешь, я ключи от изолятора ему отдам. А потом посмотрим, как далеко ты отсюда уйдешь на одной ноге.

Рашит побледнел. Он почувствовал, что начальник говорит правду.

— Ты не посмеешь, — не очень уверенно сказал он, — ты не посмеешь...

— Увидим, — улыбнулся Сангеев. — Как ты сказал — время работает на вас? Ты отсюда не уйдешь, я даю тебе слово.

— Малик мой двоюродный брат, — предупредил его Рашит, — у нас матери родные сестры. Если я живым не буду, то он тебя и весь город перережет. Никого в живых не оставит.

— Это мы еще посмотрим. Значит, все-таки банда Малика. Я у тебя имена не спрашивал, ты сам сказал...

— Да, сказал. И еще скажу. Тебе жить осталось только несколько часов. И героем ты не умрешь. Здесь тебя будут убивать. Чести лишат и убьют, чтобы все знали, как умер начальник милиции этого вонючего города.

— Дурак, — сказал, вставая, майор, — чести человека лишить нельзя. Насчет воро́н я, конечно, нарочно сказал. Я тоже далеко не орел. Но с вами все равно в стае летать не стану. Никогда.

Он услышал крик лейтенанта, который опять спускался сверху

— К вам звонят. Вас срочно вызывает к себе мэр. Он на проводе, ждет вас.

Это был самый настоящий удар для Рашита. Тот поднял голову, опустил ее и завыл от бешенства. Откуда ему было знать, что мэр позвонил по своему красному прямому телефону, который не был подключен к телефонному кабелю, ведущему из соседнего города?

— Вот видишь, — назидательно заметил майор, — и ты уже сразу не ворона. Ты — воробей. Телефоны у нас заработали. Твои друзья не смогли ничего сделать. И сейчас я вызову к нам помощь.

Миг его триумфа был недолгим. Их разговор слышал болтливый Абуталиб.

— Наверно, мэр позвонил по своему внутреннему аппарату, — сказал он громко. Рашит его понял, а Сангеев сжал зубы от бешенства.

— Вызывай! — крикнул с какой-то яростной радостью Рашит. — Посмотрим, кто к тебе приедет. Вызывай.

— Твой язык, Абуталиб, хуже гранатомета, — пробормотал майор, — нужно было давно тебя отсюда выгнать. Ничего. Теперь еще немного посидишь, — добавил он, выходя из изолятора и закрывая за собой дверь.

Он поднялся в кабинет, взял трубку красного аппарата и услышал крик мэра.

— Что происходит, Ильдус? Что творится в нашем городе? Я приехал на работу, чтобы тебе позвонить. В городе нет телефонной связи. И везде рассказывают, что ты перестрелял целую банду, которая заперлась в гостинице. Ты можешь мне что-то нормально объяснить?

— Там не было банды. Там было только два человека, которые...

— Какая мне разница, сколько там было людей, — сорвался мэр, — это меня не касается. Ты — начальник городской милиции и обязан обеспечивать порядок в городе. Или ты действительно ничего не хочешь понять?

— Не ори, — неожиданно попросил Сангеев.

— Что? — С тех пор как Эльбрус Казиев стал мэром города, с ним здесь никто так не разговаривал.

— Я сказал, не ори, — повторил майор, — все гораздо хуже, чем ты думаешь. Намного хуже. Если ты стоишь, то лучше сядь. А если сидишь, то держись за ручку кресла, чтобы не потерять сознание или не упасть в обморок от страха.

— Ты что, пьяный? — не понял мэр.

— Сегодня утром в городе будут бандиты. Примерно тридцать человек. Та самая банда Малика Кулмухаметова, о которой тебе говорили в областном центре. Помощи не будет. Их люди, которые прибыли первыми, перерезали телефонный кабель и перекрыли дорогу. Можно попытаться ночью уйти в горы всем городом или дойти до границы, но шансов никаких.

— Зачем они идут сюда? — все еще сомневаясь, спросил Эльбрус.

— Очевидно, решили уйти за границу. У нас тут идеальное место. Завтра утром они должны забрать у нас внедорожники, чтобы попытаться прорваться через границу. Всех, кто попытается их остановить, они уничтожат. Им терять уже нечего — сам знаешь, сколько времени на них охоту вели.

— Откуда ты все это знаешь? — шепотом спросил мэр. Наверно, у него в приемной были люди, и он не хотел, чтобы они услышали, о чем ему говорит майор Сангеев.

— Знаю. Они готовились к этому рейду заранее, прислали к нам своих людей. Искали у нас помощников. Наверное, у них есть даже списки внедорожников, которые им понадобятся. Иначе через границу не прорваться. Они убили Петра Карпатова, который отказался сотрудничать с ними. Мы застрелили одного бандита, ранили двоих — тех самых, которые бесчинствовали в гостинице. Они избили там несколько человек, Салима в больнице. Они уже чувствовали себя хозяевами в городе, зная, что ровно в полночь их сообщники перережут телефонный кабель, а другой связи у нас нет. Они все рассчитали, Эльбрус, и теперь нам остается только сидеть и ждать, когда они к нам пожалуют. Вот теперь всё, и ты можешь сам решать, как тебе поступить. Собери народное ополчение, вызови охотников, раздай оружие, если оно у тебя есть, и мы достойно встретим бандитов.

— Ты с ума сошел? — спросил Эльбрус. — Какое оружие? Какое ополчение? Сейчас не война. Это задача милиции — нас защищать.

— У меня три человека, господин мэр, — напомнил старому товарищу Ильдус. — А если считать с моей секретаршей Куляш и нашей старой уборщицей, то целых пять. Даже на одно отделение не наберется. Но двое последних стрелять не умеют. Да и Орилин не очень хороший стрелок. Как я могу своими силами защитить весь город, даже если в нем осталось четыре тысячи человек? Я могу держать оборону только в своем здании, куда они обязательно придут, чтобы освободить своего боевика. К тому же он двоюродный брат Малика.

— Подожди, подожди, — поспешно сказал мэр, — давай рассуждать логично. Зачем они идут в наш город? Что им нужно? Кого-то убить? Или ограбить? Ничего подобного. Что у нас можно взять? Даже в местном отделении Сбербанка почти нет денег.

— У них есть деньги, — сдержанно напомнил Сангеев, — им нужны хорошие машины, чтобы прорваться через границу. Отсюда до границы семьдесят километров. Им надоело топать пешком по горам.

— Значит, им нужны наши внедорожники? — уточнил Эльбрус.

— Да. В первую очередь. И, возможно, родственник Малика, который сидит у меня. Это во вторую очередь. Больше им от нас ничего не нужно. Они наверняка знают, сколько денег в нашем Сбербанке, и не собираются грабить наших людей.

— Так, это очень хорошо, — явно воодушевляясь, сказал мэр. — Им нужны внедорожники. Сколько? Пять или шесть? У нас в городе их гораздо больше. Кажется, тридцать или сорок машин. А если мы сделаем немного иначе? Поставим семь или восемь машин с ключами на площади, пусть берут и уезжают. Пусть поймут, что мы не хотим с ними связываться. А заодно в одну из машин посадим раненого родственника этого Малика. Зачем он нам нужен? Пусть все уезжают из города. Так будет лучше. Мы и людей спасем, и от бандитов избавимся.

— Но тогда они убьют пограничников и уйдут за границу, — напомнил Сангеев.

— Так я этого и хочу. Пограничники — люди опытные, их так просто не убьют. Да и на границе их много. Пусть стреляют друг в друга. Это не мое дело — охранять границу. Моя задача как мэра города — спасти наших людей. А насчет машин можно не беспокоиться. Всем потом страховку выплатим. Я сам буду ее делать задним числом. Как тебе моя идея?

— Паскудная, — отрезал майор. — С бандитами нельзя так договориться. Они не понимают подобных жестов. И никогда не поймут. Решат, что мы струсили. Им все это может понравиться, и они останутся в нашем городе еще на несколько дней. Что вы будете делать тогда?

— Пошлем в соседний город за помощью.

— Они перекроют дорогу и будут грабить и насиловать, пока не успокоятся. Нет, мой дорогой мэр, нужно придумать что-то другое. Нельзя просто так сдаваться.

— Это не сдача. Это обычное благоразумие. У нас в городе в основном живут женщины и дети. Почти все наши мужчины уезжают работать на химкомбинат, и в середине недели здесь никого не бывает. Я обязан думать о людях, меня для этого выбрали.

— А я обязан думать о законе, — устало парировал Сангеев.

— Хватит, Ильдус, не говори чепухи! Как будто мы все ничего не знаем. Тоже мне — праведник. Ангел с крылышками. Бордель держал столько лет, обирал весь город, штрафы только себе в карман отправлял. Об этом любой шестиклассник знает. А сейчас ты вдруг превратился в святого апостола... Ну, хватит! Сделаем так, как я сказал. Приготовим им машины с ключами, пусть уезжают. И ты своего заключенного тоже туда посадишь. Это приказ, Ильдус, и не смей мне перечить!

— Такие приказы мне никто не может отдавать, — возразил Сангеев. — Ты бы видел, как этот «родственник» избил Салиму! Ты бы видел, как они измывались над другими женщинами! Я его не отпущу, Эльбрус, даже если потом меня выгонят с работы. Я его живым не отпущу. Слышите, господин мэр? Это я вам как начальник городской милиции официально заявляю. Последняя пуля будет его.

— Почему твоя глупая принципиальность проснулась именно сегодня ночью? Нельзя сделать так, чтобы она проснулась завтра или вообще не просыпалась? — нервно спросил мэр. — Я сейчас найду начальника транспортного отдела, и мы с ним составим список нужных внедорожников.

— Это не глупая принципиальность, Эльбрус. Мне не хочется выглядеть в глазах наших людей обычным трусом. Они знают, что я вымогатель, взяточник, не очень приличный человек. И все знают, что именно я держал наш бордель «Мечта». Все это правда. Но я хочу остаться в памяти людей хотя бы нормальным мужчиной. Оказывается, это так трудно, Эльбрус, — быть просто нормальным и порядочным мужчиной...

— Демагогия, — сразу отозвался мэр. — Кто из нас порядочный? Покажи мне человека, которого нельзя купить. За хорошие деньги можно купить любого. И меня, и тебя, и нашего губернатора. Кого хочешь можно купить. Вопрос только в цене. И ты прекрасно это знаешь. Просто сейчас решил спектакль разыграть. Устал, наверное, и захотел свою принципиальность показать. Или у тебя что-то было с этой Салимой?

— Это ты у нас спал с Веселиной, когда вызывал ее на квартиру к своему брату, — напомнил Сангеев, — а я с ними не встречался. Поэтому не перекладывай с больной головы на здоровую.

— Как ты смеешь?!

— Смею. Назар сам ее туда отвозил. У нас маленький город, Эльбрус, это ты верно сказал. И все знают, кто я такой. Не очень удачливый майор, которого скоро отправят на пенсию. Собираю себе деньги на старость, пытаюсь помочь семьям своих девочек. «Крышевал» отель, в котором был бордель. Все так, Эльбрус, все правильно. Только и ты не ангел. И об этом тоже все знают, о всех твоих делах. Нам иногда кажется, что мы можем скрыть ото всех свои грехи, попытаться притвориться, обмануть окружающих. Но это все пустое. Все знают, кто я и кто ты. Вот так, господин мэр.

— Ты полоумный идиот, совсем голову потерял от страха! — разозлился мэр.

— Я говорю правду. Один раз в жизни можно сказать правду.

— Все, — решил мэр, — закончили разговор. Завтра утром внедорожники будут стоять на площади, а твой заключенный — сидеть в одной из этих машин. Я так решил. Если в городе прозвучит хотя бы один выстрел, я отдам тебя под суд. Все понял?

— Я его не отдам, — упрямо возразил Сангеев.

— Как хочешь. Я у тебя его силой отнимать не буду. В пять утра твой заключенный должен сидеть в салоне машины. Если его не будет, я пойму, что ты не хочешь выполнять моего указания.

— Придешь за ним сам?

— У меня нет таких полномочий. Просто ничего не буду делать. Они сами за тобой придут, Ильдус. Сколько, ты сказал, их человек? Тридцать? И ты думаешь, что вы втроем справитесь с ними? Не забывай, что Орилин еще совсем молодой, а у сержанта четверо детей. Они в твоих послушных солдатиков превращаться не захотят.

— Мы останемся здесь, — упрямо повторил Сангеев.

— Разговор окончен. — Эльбрус положил трубку.

Майор обернулся. Он увидел стоявших за его спиной Альберта и Ризвана. Его собеседник кричал достаточно громко, чтобы оба могли слышать их разговор. И оба ждали, что именно он им скажет.

— Вы все слышали, — сказал им майор, — поступайте как считаете нужным.

— У меня четверо детей, — напомнил сержант, — я не могу здесь оставаться. Извините меня, майор, но вы знаете мое положение. Кто их будет поднимать, кто будет кормить? Хатира одна не справится. Я не останусь здесь.

— Я тоже не останусь, — сказал лейтенант, — зачем мне это нужно? Если их тридцать головорезов, а нас только трое. Пошли они все к чертовой бабушке! Наш мэр абсолютно прав: пусть берут свои машины и убираются куда хотят. А этого типа мы посадим в машину как наш им «подарок».

— Все сказали? — спокойно спросил майор. — А теперь слушайте меня. Разрешаю вам обоим отсюда уйти. Можете забрать с собой Абуталиба и Владлена Семенова, чтобы не подставлять их бандитам.

— А Рашит? — спросил лейтенант.

— Он останется. Во-первых, он не может ходить, у него прострелена нога. А во-вторых, он преступник и должен быть в тюрьме. Поэтому приказываю вам обоим покинуть здание милиции и забрать с собой двоих наших граждан.

— А как же вы? — спросил Орилин.

— Я остаюсь, — пожал плечами майор, — хочу умереть героем. Может, об этом я мечтал всю свою сознательную жизнь? Провел ее всю без толку в нашем городе заблудших душ — и вдруг у меня появился шанс умереть достойным человеком. Разве я могу упустить такой шанс? Только у меня к тебе просьба, сержант. Когда поедешь домой, загляни к нашим и передай жене, чтобы она не волновалась. Я сказал ей, что скоро приду; она наверняка сейчас пытается узнать, где я нахожусь.

— Сделаю, — кивнул Ризван.

— Ну, вот и хорошо. Возьмите рации; может, я напоследок скажу вам что-то героическое.

Они переглянулись, не понимая, шутит он или говорит серьезно.

— Уже второй час ночи, — сказал Сангеев, взглянув на часы, — боюсь, что они могут нагрянуть с минуты на минуту. Поспешите, ребята. Вот вам ключи, забирайте обоих, кого я назвал. Бедняга Абуталиб пострадал из-за своего языка, да и Семенов не так сильно виноват. Два старых магнитофона явно не потянут на солидный срок. Они даже деньги у Мелентьева не взяли. В общем, давайте освобождать наших сограждан.

Ризван спустился вниз и через некоторое время привел с собой Абуталиба и Владлена Семенова. Майор подошел к таксисту.

— Извини меня, Абуталиб, — сказал он на прощание, — но иначе было нельзя. Сам видишь, что у нас здесь получается. Если бы ты кому-нибудь рассказал, то, возможно, наши неприятности начались бы даже раньше, чем мы предполагали.

— Ладно, — махнул рукой таксист, — только никому не рассказывай. Иначе весь город будет смеяться. Скажут, посадили старого болтуна из-за его длинного языка.

— Мы твоим домашним сообщили, что ты выполнял наше особое задание, — пояснил Ильдус.

— Вот за это спасибо, — обрадовался Абуталиб. —

Но все равно ты был не прав. Нельзя невиновного человека сразу в тюрьму отправлять. Даже такого болтливого, как я.

— Согласен, извини. — Ильдус на прощание пожал руку таксисту, затем взглянул на Семенова. — Не будь таким доверчивым, — сказал он, — тебе и деньги были не особенно нужны. Ты их даже не потратил. Если тебе так грустно одному, то найди себе подругу. У нас в городе столько одиноких женщин.

— Я уже понял свою ошибку, — кивнул Семенов, — можете не сомневаться, больше меня не купят на такую дешевую удочку.

— До свидания, — кивнул ему на прощание майор.

— Вы напрасно так упорствуете, — сказал лейтенант, — они вас не пощадят.

— Ты не понял, — улыбнулся Сангеев, — это как раз тот случай, когда я точно не буду просить пощады. Они все правильно просчитали, но не учли только одного фактора: что в этом городе еще есть власть. И есть городской отдел милиции. Даже если его возглавляет такой далеко не идеальный человек, как я. Они не приняли в расчет именно меня. И это их ошибка. Мне не нравится, когда меня считают дураком, а теперь будут считать еще и трусом. Город трусов. Это клеймо навеки останется на нас. Кто-то должен встать на пути бандитов. Почему не я?

ГЛАВА 13

Когда все четверо мужчин ушли, он остался один. Огляделся, невесело усмехнулся. Все так, как и должно быть. Капитан покидает судно последним. Он подумал, что не успел позвонить жене, и это было непростительное упущение. Ей будет трудно оставаться одной с больной матерью. Ничего страшного — у них с женой есть две дочери и четверо внуков. Они не дадут бабушке пропасть. Он взглянул на свою куртку, висевшую на вешалке, подошел к окну. Как жаль, что так поздно, сейчас никому не позвонишь. Хотя четвертую рацию всегда берет Куляш. Может, она у нее включена? Он попытался вызвать Куляш, и она сразу ответила.

— Ты не спишь? — спросил он.

— Нет, конечно.

— Кажется, я снова тебя потревожу, — тихо сказал Сангеев. — Ты можешь сейчас одеться и позвать Ламию? Чтобы она пришла ко мне. Вы же соседи, она живет недалеко от вас. А телефоны сегодня не работают.

— Конечно, могу, — обрадовалась девушка, — я сейчас ее позову.

— Подожди, — попросил он, — еще одна просьба. Видишь, я сегодня решил тебя замучить своими просьбами. Понимаю, что уже очень поздно, но у меня просто нет другого выхода. Пойди в больницу и передай свою рацию Назару. Пусть он со мной переговорит. Или еще лучше, если он придет сюда.

— Я все поняла. Не беспокойтесь. У нас в городе можно ходить до утра. Кто меня тронет? Меня же все знают. Я сейчас сбегаю.

— Спасибо.

Он положил рацию на стол, подошел к окну. Когда делали жалюзи в гостинице, он настоял, чтобы их поставили и на окна здания милиции. Даже на почте были такие жалюзи. Теперь он стал поочередно опускать их; они закрывались, издавая характерный щелкающий звук. Он прошел по коридору, закрыл вторую дверь, выходящую во двор. Первая была открыта. Он снова вернулся в свой кабинет. Внизу есть целый арсенал оружия, можно при желании им воспользоваться. Хотя так бывает только в плохом кино: один человек противостоит вооруженной банде. Тридцать человек. Целый взвод. При таком соотношении можно гарантированно писать завещание. Тем более что это не просто бандиты, а вооруженные, хорошо обученные боевики, которые уже много месяцев воюют в горах. Как же он не догадался, что им нужны внедорожники? Как он мог не понять всего их замысла, когда, ограбив машину Мелентьева, они не забрали даже денег?

Что было, то прошло. Теперь нужно думать о самом важном. Внизу лежит этот наглец Рашит, больше здесь никого нет. Ильдус посмотрел на два телефона, которые могли позвонить. Но они молчали. Красный и синий аппараты. Может, как раз сейчас Эльбрус Казиев собирает машины по всему городу, чтобы утром поставить их на площади как подарок бандитам. Вот машины с ключами и документами, катайтесь на здоровье!.. Как странно, он считал Эльбруса более мужественным человеком. Когда у чиновника становится много власти и денег, он теряет чувство самоуважения, у него остается только инстинкт выживания. Выживания любой ценой.

Майор вышел из кабинета, закрыл входную дверь и спустился вниз, в изолятор. Кажется, Рашит заснул; во всяком случае, он не повернулся при звуке шагов Сангеева.

Майор подошел к дальней камере, где было сложено оружие. Будем надеяться, что оно окончательно не заржавело, подумал он. Сложнее всего было поднять наверх ящик гранат. Ему пришлось трижды подниматься наверх, постепенно разгружая ящик. Потом он поднял наверх автоматы, проверил патроны. Гранатомет лежал в ящике. Он открыл и посмотрел на него, пожал плечами. Стрелять из гранатомета он все равно не умеет, а учиться уже поздно. Кажется, сержант говорил, что был в армии гранатометчиком. Жаль, что он ушел. Нужно было попросить его остаться и хотя бы показать, как этим оружием пользоваться. Здесь только два выстрела. Он вернулся в свой кабинет, устало переводя дыхание. Вспомнил, что не открыл входную дверь. Она хлипкая, разлетится при первом же хорошем ударе. Вот дверь, которая выходит во двор, гораздо крепче. Она сделана из цельного массива дерева. Тогда полагали, что отсюда будут выводить заключенных во двор, отправляя их в суд, здание которого должны были построить неподалеку. Суд в этом городе так и не появился.

Он услышал, как скрипнула входная дверь, и насторожился, прислушиваясь. Достал из ящика стола второй пистолет, положил его рядом с первым. Дверь медленно открылась. На пороге стояла Ламия, одетая в темный плащ. Она испуганно смотрела на хозяина кабинета. Он никогда не приглашал их сюда. Конечно, они знали, кто является фактическим хозяином гостиницы, но вслух никогда не говорили об этом.

— Здравствуй, — кивнул ей Ильдус, — проходи, садись. Не бойся.

— Меня ваша Куляш позвала, — сказала она, глядя на майора.

Она все-таки была напугана. Может, он хочет ее посадить в изолятор за то, что она сегодня так неожиданно исцарапала лицо Рашита? Но она просто не сдержалась. Или что-то случилось? В городе не работают все телефоны, это не к добру. Ламия присела на краешек стула. В темном плаще, с собранными на затылке волосами, она была похожа на одну из тех женщин, которые ходят по утрам работать на хлебокомбинат.

— Я позвал тебя, чтобы извиниться, — неожиданно сказал Сангеев. — Ты ведь знала, кто был хозяином вашего заведения, кто вам помогал и оберегал вас?

— Знала, — опустила голову Ламия.

— Вот поэтому я тебя и позвал, — продолжал он. — Я старался не вмешиваться в ваши отношения с Назаром, защищал вас, опекал. Но род занятий, который вы добровольно выбрали, накладывал отпечаток и на наши отношения, и на вашу жизнь.

Она не поняла половину его слов, хоть на всякий случай и кивнула. И он это заметил. После сегодняшних событий женщина была напугана и не знала, как ей жить дальше. Поэтому он просто замолчал, доставая из внутреннего кармана пиджака две пачки долларов, которые нашел сегодня у погибшего Салмана Масимова, и положил их на стол. От неожиданности она едва не упала со стула.

— Значит, так, — строго сказал майор, — сейчас ты забираешь эти деньги и уходишь. Они для вас троих, чтобы начать новую жизнь. Каждой... Нет. Двадцать тысяч на три не делится. Сейчас мы исправим ситуацию.

В кармане куртки у него есть еще три тысячи долларов. Это тоже деньги погибшего Масимова, которыми тот расплатился с Владленом Семеновым. Значит, можно добавить и их. Пусть будет двадцать две тысячи пятьсот. Это по семь пятьсот на каждую. Покойный Салман на него явно не обидится. А там, где он с ним сможет еще раз увидеться, деньги все равно никому не нужны.

Он принес недостающие деньги и положил их сверху.

— По семь тысяч пятьсот каждой, — пояснил он. — Я тебя давно знаю, ты честная девушка. — Это прозвучало немного смешно, но обоим было не до смеха. — Забирай деньги и уходи. Это вам на троих. Поделишься с Веселиной и Салимой. Начнете жизнь заново. Ты меня понимаешь?

Она изумленно смотрела на деньги. Семь тысяч пятьсот долларов были для нее целым состоянием, как и для ее подруг. В условиях провинциального городка на эти деньги можно было даже купить однокомнатную квартиру, а если повезет, и целый дом.

Она посмотрела на деньги и неожиданно даже для самой себя заплакала.

— Спасибо, спасибо, — шептала она, — вы всегда к нам так хорошо...

— Хватит, — поморщился он, — иначе я буду чувствовать себя сутенером, который продавал женщин в рабство, а они еще и благодарили его. Бери деньги и уходи.

Она торопливо взяла деньги, положила их в сумочку и вдруг, бросившись к нему, схватила его руку, припадая к ней, чтобы поцеловать. Он не очень решительно вырвал руку.

— Хватит, — попросил он, — давай просто попрощаемся. Иди домой и не забудь поделить деньги.

— Не забуду, — пообещала она, выходя из его кабинета. Снова скрипнула входная дверь. Так, кажется, одно доброе дело он сделал.

Ильдус взглянул на часы. Третий час ночи. Нужно дождаться Назара. Это сейчас единственный человек, которому он может доверять. Единственный. Майор неожиданно почувствовал голод, вспомнив, что так и не сумел поесть за сегодняшний день. Пакет с едой лежал на другом столе, стоявшем в углу. Он подошел и развернул пакет. Может, ужинаем в последний раз, невесело подумал он. Все равно вкусно. Молодец Тухташ, нужно будет его завтра поблагодарить. Как это завтра? Уже сегодня. И никто не знает, чем закончится сегодняшний день.

Сангеев доел мясо, сложил остальное в пакет. Еще можно уйти. Оставить ключи от изолятора на столе и уйти. Бандиты не станут лезть к нему домой. Они освободят своего товарища, помогут ему выйти и уедут на машинах, которые Эльбрус Казиев так любезно поставит для них на площади. Еще можно уйти. Но он точно знал, что не уйдет отсюда ни при каких обстоятельствах. Это его корабль, и он здесь капитан; он покинет мостик последним. Хотя, по большому счету, его экипаж уже ушел с судна, и по всем морским законам он тоже может последовать за ними. Но есть еще и законы чести. Весь город будет завтра говорить, что все сотрудники милиции, оставив свое здание, разбежались по домам. Авторитет власти в глазах людей будет загублен навсегда. Над ними будут смеяться еще сто лет. И сто лет сочинять анекдоты про незадачливых стражей порядка, сбежавших при одном упоминании о бандитах. Нет, он просто не может отсюда уйти. И он не уйдет.

Раздался характерный треск рации. Майор услышал голос сержанта:

— Я был у вас дома, сказал вашей супруге, чтобы она не волновалась, что вы задерживаетесь на работе. Она знает, что телефоны не работают, и просила передать вам привет.

— Спасибо, — сказал Сангеев.

— Простите меня, — неожиданно добавил Ризван, — мне нужно думать о детях.

— Все правильно. До свидания. Не беспокойся. Ты все сделал правильно, — ответил Ильдус.

Уже третий час ночи. Интересно, когда они сюда пожалуют? А может, Рашит блефует и этот телефонный обрыв связи никак не связан с нападением бандитов? Нет, все выстраивается в единую цепочку. Приезд Салмана Масимова, его поиски напарника, взломанные замки автомобилей, появление двух бандитов перед самым нападением банды... Все сходится. Банда Малика будет здесь уже завтра утром.

Опять раздались чьи-то шаги. Он прислушался, улыбаясь. Эти шаги он не перепутает ни с чьими. Но с ним еще кто-то шел. Интересно, кто это может быть? Сангеев вышел в коридор. Назар шел по коридору вместе с Куляш. У нее была рация.

— Спасибо тебе, Куляш, — кивнул майор, — но только теперь уходи домой. Уже совсем поздно. И завтра сюда не приходи.

— По всему городу никто не спит, — призналась она, — люди говорят, что телефон нарочно перерезали.

— Это глупости. Обычная авария.

— Все рассказывают друг другу, что скоро сюда придут бандиты, — сообщила Куляш, — и еще говорят, что наш уважаемый мэр собрал людей и они теперь ходят по домам и ищут большие машины...

— Внедорожники, — понял майор.

— Да, — кивнула она, — и никто не понимает — зачем?

— Это у него такая игра, — пояснил Сангеев. — Спасибо за все, что ты для меня сделала. Нашла Ламию, привела Назара... А теперь уходи. Оставь свою рацию и уходи. Уже поздно, родители будут волноваться.

Она взглянула в угол, куда он сложил все оружие. Раньше его здесь никогда не было.

— Может, я останусь, — несмело предложила она, — я могу вам помочь.

— Нет, — он подошел к ней и поцеловал ее в голову. Поцеловал впервые за все время их совместной работы. Она даже вспыхнула от неожиданности, покраснела. — Иди домой, — строго повторил он, — и спасибо тебе за все.

Она повернулась и вышла из кабинета. Звук ее каблучков еще раздавался довольно долго в гулкой ночной тишине. Назар прошел к столу, посмотрел на собранное в углу оружие.

— Впечатляет, — кивнул он, усаживаясь на стул. — Что случилось?

— Через несколько часов здесь будет вся банда Малика, — сообщил майор.

— Откуда ты знаешь?

— Они готовились. Прислали заранее этих ублюдков. Им будут нужны машины, чтобы пройти по горным дорогам. Хорошие машины, внедорожники.

— Это понятно. Сколько их человек?

— Не больше тридцати.

— Много, — задумчиво покачал головой Назар.

— Много, — согласился майор, — но мне нужна твоя помощь.

— Я останусь с тобой, — сказал Назар, — мне терять уже нечего, а умереть, как мужчина, — это всегда здорово. Ты знаешь, что я хорошо стреляю. А где твои сотрудники?

— Я отпустил их домой.

— И они ушли? — Нужно было слышать, какую степень презрения Назар вложил в эти три слова.

— Это я так решил. Орилин совсем мальчик. Ему только двадцать пять лет исполнилось. А у сержанта четверо детей. Я сам предложил им уйти.

— Мой дед ушел на войну, оставив семью, где было шестеро детей, — и не вернулся с войны, — напомнил Назар. — А мой дядя ушел на войну, когда ему не было семнадцати. Он подделал себе возраст и пошел умирать, как мужчина. В нашей семье было много мужчин, Ильдус. Только я оказался таким неудачником из-за сломанной ноги. Хромой Назар, как все меня называют. Пришлось стать сутенером; обслуживал богатых клиентов, подкладывал им наших женщин... Э, что сейчас вспоминать. Зато умру весело. Все мои грехи люди забудут. Скажут, что он умер, как его дед и дядя.

— Нет, — возразил, улыбаясь, Сангеев, — я тебе просто так умереть не дам.

— Я и не тороплюсь. Просто останусь с тобой.

— Не останешься, — повторил майор. — Послушай меня, Назар, чтобы ты меня хорошо понял. У меня сейчас никого нет, кому я могу доверять так, как тебе. Разное между нами было, всякое бывало. Я тебе часто не верил, из-за денег ругались, эту чертову гостиницу вместе держали. Всякое было. Но сейчас ты должен выполнить мою просьбу. Если хочешь знать, от тебя зависит спасение нашего города.

— Что я должен сделать?

— Это трудно, Назар, но это наш единственный выход.

— Не нужно так много говорить. Лучше скажи, что я могу сделать?

— Бандиты перерезали наш единственный телефонный кабель. Они прекрасно знают, что город зажат в ущелье, где не работает ни один мобильный телефон. Наверное, перекрыли и дорогу в соседний город. Они все просчитали. И наверняка знают про электростанцию, перекрыв дорогу и туда.

— На электростанции есть связь с областью, — вспомнил Назар, — свои мощные рации, не такие игрушечные, как в вашей милиции, которые действуют только в пределах города.

— Вот именно, — кивнул Ильдус, — поэтому мне нужно, чтобы кто-то ночью добрался туда и попросил о помощи. На машине ехать нельзя: свет фар будет виден издалека, и водитель наверняка не доедет до станции. Они могли расставить засады из своих людей. Значит, нужно подниматься пешком по другой дороге. Это примерно одиннадцать километров в горы.

— Ты думаешь, что я смогу туда подняться? — с грустной улыбкой спросил Назар. — Это невозможно. Я даже по обычный дороге хожу медленнее всех остальных. А в горы подниматься вообще не смогу.

— Подожди, — перебил его майор, — ты меня не понял. Я тебя не прошу туда подниматься. Мне нужно, чтобы ты прямо сейчас отправился к Аслану. Ты знаешь, где он живет. Это двоюродный брат Рагима, бывшего жениха нашей Салимы. Ты должен пойти к нему и убедить его подняться наверх и передать на электростанцию нашу просьбу о помощи.

— Это невозможно, — сразу ответил Назар, — ты знаешь, что он со мной сделает, если я появляюсь в его доме. Они все меня ненавидят, считают, что именно я загубил их несостоявшуюся родственницу. Аслан даже не будет со мной разговаривать.

— Тогда возьми его за шиворот и приведи в больницу, — зло предложил Сангеев, — и пусть посмотрит, что они сделали с его несостоявшейся родственницей. А заодно расскажи про банду Малика, которая будет здесь через несколько часов. У меня больше никого нет, Назар, и я могу попросить сделать это только тебя. Найди любую машину, поезжай к нему и убеди его подняться в горы на электростанцию. Пусть попросит о помощи.

— Я, конечно, попытаюсь, но он не захочет меня слушать, — вздохнул Назар. — Но, похоже, ты прав. На машине туда ехать нельзя, а через горные перевалы сможет подняться только охотник. Аслан хорошо знает эту дорогу. Может, лучше сделать по-другому? Собрать всех охотников и попытаться встретить эту банду?

— У каждого из них дети и внуки, — устало напомнил Сангеев, — я не могу так рисковать. Это не их дело — защищать город от бандитов.

— Это дело каждого мужчины — защищать свою семью и свой город, — возразил Назар. — Насчет детей ты, конечно, прав... Да и охотников молодых у нас почти не осталось. Ладно, постараюсь его убедить. Но туда он будет подниматься несколько часов — может, семь или восемь, не меньше. Я ведь эту дорогу тоже знаю. Помощь придет только вечером, если вообще придет.

— Ничего, — ответил Сангеев, — постараюсь продержаться до вечера.

— Я к тебе вернусь, — пообещал Назар.

— Нет. Пойдешь домой. Ты мне здесь не нужен. У меня к тебе будет еще одна большая просьба.

— Я сегодня как Дед Мороз, который выполняет пожелания ребятишек, — пробормотал Назар. — Какая просьба?

— Насчет гостиницы. Они действительно хотят сделать там интернет-клуб. Может, у них получится, не знаю. Но нужно будет все переоборудовать, сделать ремонт и сдавать наше здание в аренду. Если ты сумеешь все наладить, то деньги будут поступать моей жене. Ей будет тяжело одной. Мать у нее при смерти, ты знаешь, а девочки наши разъехались.

— Я все сделаю, — пообещал Назар. — Но ты напрасно так упорствуешь. Один ты не справишься. Ты ведь должен это понимать.

— Ничего. Что-нибудь придумаю. Может, это моя возможность избавиться от грехов и попасть в рай. Как ты думаешь, я смогу попасть в рай?

— Не сможешь, — ответил Назар.

— Вот и я так думаю. Значит, мое место в аду.

— И в ад не попадешь, — убежденно сказал Назар. — Нет ничего — ни рая, ни ада. Все здесь, на нашей земле. Просто мы не заметили, что Аллах уже все создал. И рай, и ад. А мы ищем все это в другой жизни.

— Ты у нас философ, — усмехнулся Сангеев.

— Нет. Я правду говорю. Зачем Ему нужны наши души? Он создал нас, чтобы мы здесь жили, как Он хотел. А мы этого не поняли.

— Уже поздно. Или рано. Иди к Аслану, мы можем не успеть.

— Сейчас пойду. — Назар посмотрел на Ильдуса. — Ты знаешь, как говорят в этих американских фильмах? У нас их Саша все время крутил. Для меня было бы честью умереть рядом с тобой.

— Я знаю.

Они обнялись, расцеловались. Назар повернулся и, хромая, вышел из кабинета. Ильдус еще раз оглядел свое хозяйство.

— Вот так, — сказал он, — а теперь будем ждать.

И в этот момент опять позвонил красный аппарат.

ГЛАВА 14

—Мы уже подготовили сразу десять машин, — сообщил Эльбрус. — Алло, ты меня слышишь?

— Зачем ты демонстрируешь всему городу, какое ты ничтожество? — спросил Сангеев. — Они ведь запомнят, как трусливо ты себя ведешь.

— Не смей со мной говорить в подобном тоне! — разозлился мэр. — Ты окончательно обнаглел. Я тебя снимаю с работы приказом по мэрии. Сдашь свои дела.

— У меня есть свое начальство.

— Сейчас здесь нет начальства. Придет лейтенант Орилин, ты сдашь ему ключи от всех кабинетов и пойдешь домой. Потом еще будешь меня благодарить. Сейчас приказ принесут. Я тебя не увольняю, а временно отстраняю.

— А я не отстраняюсь. И ключи Орилину не дам, — ответил майор. — И хватит мне звонить. У меня дел полно, а ты все время меня дергаешь. Не можешь ты меня с работы снять, сам об этом прекрасно знаешь. И ключи я никому не отдам.

— Мы десять машин с ключами поставили на площади, — сообщил Эльбрус. — Чего ты упрямишься, кретин чертов? Отдай своего заключенного, пусть они его посадят в машину и уходят куда хотят. При чем тут наш город? Эти бандиты не имеют к нам никакого отношения.

— Они убили Петра Станиславовича Карпатова, жителя нашего города. Избили Салиму, тоже жительницу нашего города. Нанесли увечья бармену.

— Хватит издеваться! Из-за одного алкоголика, из-за этой проститутки Салимы ты хочешь подставить весь город. Не нужно так делать. В конце концов, я думаю и о тебе. Жена дома волнуется, у нее мать тяжело болеет. Почему ты упрямишься?

— Я тебе уже все сказал, Эльбрус. Больше сюда не звони. Я сейчас оборву провода. Мы с тобой закончили разговаривать.

— Подожди, — крикнул Эльбрус, — думаешь, я ничего не понял? Думаешь, что меня можно обмануть? Торговаться захотел? Будешь продавать своего заключенного бандитам? Хочешь приличный куш сорвать? Только ты учти, что они могут тебе и не заплатить.

— Откуда берутся такие, как ты? — удивился Сангеев. — Неужели ты думаешь, что я такой идиот и начну с ними торговаться? Да и зачем им со мной торговаться? Просто пристрелят меня и заберут своего сообщника. Как ты плохо о людях думаешь, Эльбрус...

— Тогда я не знаю, чего ты хочешь, — сказал, теряя остатки терпения, мэр.

— Ничего. Хочу, чтобы не избивали наших женщин, не убивали наших мужчин. Хочу, чтобы пограничники остались живы, у них тоже есть жены и дети. Хочу, чтобы все боевики Малика сидели в нашем изоляторе. Ты понял, чего я хочу? В последнее время я хочу, чтобы наш город избавился от такой продажной и коррумпированной власти, которая в твоем лице позорит наших людей.

— А в твоем не позорит? — разозлился Эльбрус.

— И в моем позорит, — согласился Сангеев, — но я хотя бы пытаюсь вернуть людям их долги. А ты хочешь сделать всех подлецами, замазав в общей куче дерьма. Вот поэтому я и остаюсь, уважаемый господин мэр. Пусть наши горожане знают, что есть люди, которые иногда могут выбираться из этой кучи. Пусть даже от них и плохо пахнет...

Мэр бросил трубку. Сангеев улыбнулся. Нужно действительно оборвать провода, но ему жалко было портить телефоны. В конце концов, эти два аппарата как живая связь между их отделом и мэрией. И они могут понадобиться в будущем. Он положил трубку и услышал какой-то шум. Кажется, он слишком увлекся разговором с мэром и не услышал, как в коридор кто-то вошел. Он хотел взять пистолет и осмотреться, когда дверь открылась и в его кабинет вошли двое незнакомцев, мужчина и женщина. Именно присутствие женщины его и смутило. Он не стал хвататься за пистолет, и это было его ошибкой. Женщина была высокая, темноволосая, черноглазая. Впечатление немного портил крупный нос с горбинкой. Она была в темном брючном костюме и в короткой дубленке. Странно, что весной она ходит в такой теплой одежде. Мужчина был примерно одного роста с ней, чисто выбритый и коротко подстриженный. Он тоже был в меховой куртке. Их вид несколько смутил Сангеева, и он не сразу принял нужное решение. Может, это совсем не бандиты? Хотя что они делают в чужом городе в четвертом часу утра?

— Извините, — сказала женщина, — дверь была открыта, и мы вошли.

— Кто вы такие? — спросил Сангеев.

— Случайные гости, — пояснила она, подходя ближе. — Мы проезжали мимо и решили зайти, чтобы узнать, как нам ехать дальше.

— Покажите ваши документы, — потребовал он.

Женщина обернулась к мужчине и сделала неуловимое движение рукой. Через мгновение Сангеев увидел дуло пистолета, направленное в его лицо.

— Убери руки со стола, — предложила она, — и не

нужно делать лишних движений. Бронтой, обыщи его.

Мужчина подошел к нему и довольно грубо обыскал. Забрал оба пистолета со стола. Затем покачал головой, отходя к углу, где было сложено оружие.

— Где ваши сотрудники? — спросила женщина.

— Никого нет, — ответил он, — я дежурный сержант. Меня оставили на ночь.

В конце концов, они пришли на его территорию, и он может этим воспользоваться. Ведь они не знают его в лицо.

— Я так и подумала, что ты сержант, — усмехнулась она, опуская оружие, — ты забыл запереть входную дверь. А где офицеры?

— Ушли по домам.

Играть под дурачка было сложно, могли выдать глаза. Но поверить, что перед ней сидел начальник городской милиции, отпустивший всех своих сотрудников и так глупо подставивший себя под ствол пистолета, было просто невозможно. Женщина взглянула туда, где было сложено оружие.

— Зачем вам столько?

— Не знаю, — снова соврал он, — начальник приказал, завтра за ним приедут.

— Умный у вас начальник, — кивнула она, улыбаясь. — Как тебя зовут?

— Ризван.

— У тебя дети есть?

— Конечно. И внуки есть.

— Очень хорошо, Ризван. Ты уже понял, что мы не случайные гости. Нам удалось узнать, что здесь у вас внизу сидит один наш знакомый. Мы хотим забрать его. Надеюсь, что ты не будешь возражать?

— А я могу? — решил пошутить он.

Она улыбнулась, посмотрела на своего напарника и весело кивнула. Волосы у нее были редкие; очевидно, сказывалась нелегкая жизнь в горах. Видимо, этих двоих послали вперед, чтобы все проверить. И они решили сами войти в здание городской милиции и освободить своего друга. Может, они уже увидели выстроенные на площади внедорожники, которые были приготовлены для их банды, и посчитали, что в этом городе живут «благоразумные люди».

— Ты не такой дурак, каким казался с первого взгляда, — снова улыбнулась она. — Давай сделаем так. Мы тебя не трогаем, а ты даешь нам ключи от изолятора. Мы забираем своего товарища и уходим. Договорились? Зачем нам тебя убивать? Или ты думаешь по-другому?

— Я согласен, — кивнул он. Пусть они считают его недалеким сержантом. Интересно, каким образом они заберут раненого Рашита? Будут тащить на себе? Они, похоже, даже не подозревают, что он ранен в ногу.

— Если хотите, я пойду и приведу его. — Он отчаянно блефовал.

— Не нужно, — сказала женщина, — лучше сиди спокойно и дай нам ключи. А мой напарник его приведет. Так будет лучше для нас всех. У вас ведь один изолятор?

— Да, — кивнул он, — внизу.

— Давай ключи, — попросила она.

— Можно, я их достану? — Он разыгрывал роль туповатого сержанта до конца.

— Бронтой, возьми ключи, — приказала она.

Ее напарник подошел к столу. Сангеев немного отодвинулся, выдвигая ящик стола, кивнул на ключи. Бронтой забрал их, показал женщине.

— Ты молодец, сержант, — одобрила она, — все сразу понимаешь. Иди за Рашитом и приведи его сюда. — Очевидно, она была старшей в группе. Бронтой кивнул, выходя из кабинета.

— Как вас зовут? — спросил Ильдус.

— Какая разница? — улыбнулась она. — Но если тебе хочется, я скажу. Меня зовут Лайла.

Если раньше он еще мог сомневаться, что его пристрелят, то после этого признания сомнений больше не оставалось. Она выстрелит в него сразу, как только здесь появится Бронтой с освобожденным Рашитом. Только поднять своего друга в одиночку он явно не сможет. Значит, вынужден будет позвать их вниз. Этим моментом и нужно воспользоваться. Похоже, эта женщина считает его совсем кретином.

— Сколько людей у вас работает? — спросила она, снимая с себя дубленку и не выпуская из рук оружия.

— Шесть человек, — снова соврал он.

— И оставили тебя одного?

— У нас здесь тихо, — пожал плечами Сангеев, — ничего не происходит. Чего нам бояться? Можно я возьму свою еду, там на столике осталась?

Ему было важно как можно реальнее войти в образ недалекого сержанта.

— Конечно, возьми, — кивнула она, поднимаясь со стула. — Хотя нет, подожди. Я сама тебе принесу. — Она все-таки не до конца ему доверяла.

Женщина подошла к столу, развернула пакет, увидела еду и, одобрительно кивнув, взяла пакет левой рукой. В правой она держала пистолет. Повернувшись, подошла к столу, за которым сидел Ильдус. В этот момент снизу раздался крик Бронтоя:

— Идите сюда, он ранен.

Она отвлеклась только на секунду. Трудно контролировать руки и слушать, что именно тебе кричат. А еще следить за человеком, который уже приговорен в твоих глазах и кажется тебе обычным жертвенным бараном. Расчетливым резким движением Ильдус выбил у нее оружие из рук. Пистолет упал на пол. Она изумленно взглянула на человека, которого уже не принимала в расчет. Он схватил пистолет и, обогнув стол, прижал ствол к ее виску.

— Только тихо, — приказал он.

— Такой умелый сержант, — сумела произнести она, — я от тебя не ожидала. Ты все испортил.

— Молчи, — посоветовал ей Ильдус, — иначе я прострелю твою красивую голову.

Она замолчала. Было заметно, как она нервничает. Ведь до этого момента она чувствовала свое явное превосходство над ним.

— Тебя убьют, — спокойно сообщила она.' — Отдай пистолет — может, тогда останешься в живых.

— Лучше молчи, — посоветовал ей майор.

— Вы идете или нет? — крикнул снизу Бронтой. — Я один не смогу его вытащить. Пусть сержант спустится вниз, помочь мне. И Рашит говорит, что в здании остался еще и майор, их начальник.

Лайла взглянула на Сангеева.

— Ты тот самый майор?

— А как ты определяешь наши звания, — поинтересовался он, — умеешь читать по лицу? Значит, если майор, то умный, а если сержант, то дурак? Может, ты сама не очень умная, если так считаешь?

Она метнула в него яростный взгляд. Если бы могла, она бы его испепелила этим взглядом.

— Вы идете или нет? — крикнул Бронтой.

— Ему нужно ответить, — предупредила она, — иначе он снова поднимется сюда.

— Ничего, — кивнул майор, — мы его встретим.

Ты лучше скажи, сколько человек приедут в наш город?

Женщина усмехнулась, потом выругалась — грязно, нецензурно.

— Ты, видимо, провела слишком много времени с этими отбросами, — покачал головой Сангеев, — слишком многое у них переняла.

Они услышали, как Бронтой, недовольно ворча, поднимается наверх. Сангеев взглянул на женщину. Она не оставит ему ни единого шанса. Как только ее напарник окажется в коридоре, она закричит — в этом не было никаких сомнений. Значит, другого выхода нет. А стрелять в женщину ему не хотелось.

— Извини, — сказал он.

— Что? — не поняла она. Сангеев ударил ее рукояткой пистолета по голове, и она сразу обмякла.

Подхватив падающее тело, Ильдус осторожно уложил ее на пол. Бронтой как раз в этот момент оказался в коридоре. Он открыл дверь в ту самую секунду, когда Сангеев укладывал тело на пол. Но пистолет майор держал в руках. Он выстрелил, и пуля попала бандиту прямо в голову. Тот буквально отлетел в коридор.

— Вот так, — удовлетворенно произнес Ильдус, — два — ноль в нашу пользу. Полтора, — немного подумав, добавил он; все-таки женщина была жива.

Он прошел по коридору, закрыл входную дверь, затем спустился в изолятор. Дверь в камеру Рашита была открыта; тот сидел на койке, недоуменно глядя на Сангеева.

— Ты почему сюда пришел? — не понял бандит.

— Подумал, что ты соскучился, — ответил майор, закрывая камеру на ключ.

— Подожди! — заорал Рашит. — Бронтой, где ты? Это и есть тот самый майор!

— Сейчас я его приведу, чтобы ты с ним переговорил, — пообещал Ильдус.

Он снова поднялся наверх и, схватив тело бандита, притащил его вниз.

— Что ты с ним сделал? — спросил Рашит. — Ты его убил?

— Нет. Он просто спит. — Ильдус протащил тело по проходу и затолкал его в другую камеру. На полу остался длинный красный след.

— Ты его убил, — закричал Рашит, — ты совсем с ума сошел, мент поганый! Что ты творишь?! Где Лайла?!

— Сейчас принесу, — пообещал Сангеев.

— Нет, — испуганно выдавил Рашит. — Ты ее тоже убил?

Вместо ответа Ильдус снова пошел наверх. Женщина на удивление оказалась тяжелой. Недолго думая, он схватил ее за руки и потащил вниз. В конце концов, он не приглашал ее в гости. Когда он втаскивал тело женщины в изолятор, Рашит просто остолбенел от изумления.

— Что ты наделал? — тихо спросил он. — Это подруга самого Малика. Он тебя... они тебя на куски... всю твою семью, твоих детей и внуков...

— Внуки мои далеко, очень далеко. Не найдет их твой Малик, — рассудительно сказал Ильдус, втаскивая женщину в одну из свободных камер.

— Ты ее убил, — растерянно повторил Рашит.

— Не убил, а только оглушил, — мрачно сообщил Сангеев, закрывая дверь, — хотя если бы знал, что она подружка вашего главаря, то, думаю, сразу бы пристрелил. Ты знаешь, она мне не понравилась. У вашего главаря дурной вкус.

— Ты труп, — убежденно сказал Рашит, — тебя убьют, как только они появятся в городе.

— Уже появились, — напомнил майор. — Кажется, с пятерыми мы справились. Раз, два, три, четыре. Пятый лежит в больнице. Очень неплохой итог. А ты как считаешь?

— Тебя убьют, — застонал Рашит, — и тебе никто не поможет.

— Если убьют, ничего страшного. Все там будем. Зато я наш город сразу от стольких гадов избавил. И потом ты не очень радуйся появлению своих друзей. Малик человек суровый, насколько я слышал. Он у тебя обязательно спросит, почему вы так поскотски вели себя в гостинице. Привлекли внимание милиции, начали стрельбу, избили девочек... Вы просто провалили всю операцию, Рашит. А сейчас еще и его женщина попала в наш изолятор из-за тебя. Нехорошо. Он тебе этого не простит.

Рашит молчал. Он тоже понимал, что его положение не слишком хорошее, но не стал ничего отвечать.

— В общем, поспи еще, — посоветовал Сангеев, — пока ваши не пришли. Может, они тебя действительно освободят, а может, пристрелят. Кто его знает.

— Дай воды, — потребовал Рашит.

— У тебя есть умывальник. Вода не очень свежая, но пить можно.

— Я не могу ходить.

— Ничего, доползешь.

Майор повернулся и вышел из изолятора, закрывая за собой дверь. Кажется, этот визит непрошеных гостей ему удалось пережить. Но следующий будет посерьезнее. Он поднялся к себе в кабинет, проверил автоматы, вставил обоймы. Теперь нужно быть готовым к любой неожиданности. Он услышал характерный треск рации и взял ее со стола.

— Аслан согласился, — сообщил Назар, — он уже вышел в горы. Сказал, что будет стараться изо всех сил.

ГЛАВА 15

Часы показывали пятый час утра. Скоро начнется рассвет. Сколько идти Аслану, никто точно сказать не может. Возьмем самое большее — семь часов. Значит, на электростанции он будет в полдень. Еще час на организационные сборы и час, чтобы приехать сюда. Раньше двух или трех часов дня помощи ждать не придется. Это очень много. Все-таки нужно было допросить эту стерву, прежде чем бить ее по голове. Ведь она наверняка точно знает, сколько человек сюда приедет... Черт побери, он забыл про их машину!

Взяв автомат, он вышел на улицу. Никого не было. В такой ранний час людей здесь обычно не бывает. Эта парочка приехала сюда на старой побитой «Волге». Конечно, у них нет хороших машин, и им нужны внедорожники, чтобы прорваться через горы. Сангеев вернулся в здание, закрыв входную дверь, спустился вниз. Рашит не спал, он сидел на своей койке, очевидно раздумывая о своем будущем. Ильдус обыскал труп погибшего боевика. Ключей нигде не было. Значит, машину вела женщина. Майор прошел в другую камеру, наклонился над ее телом, обшарил карманы. Сумочки у нее не было, это он точно помнил. Ключей здесь тоже нет. Тогда где они? Он задумался. Дубленка. Ее дубленка осталась у него в кабинете. Наверное, ключи там. Он запер дверь, прошел мимо сидевшего в камере молчаливого Рашита и снова поднялся наверх. Ключи действительно оказались в дубленке. Он открыл ворота, загоняя машину во двор. Со стороны улицы теперь ничего не видно, особенно если ворота закрыты.

Ильдус уже входил в здание, когда услышал ровный гул машин. Судя по всему, в город въезжали грузовики с боевиками. И, наверное, грузовиков было два. Судя по всему, они ехали по главной улице, уже ничего не опасаясь и точно зная, что в городе нет никаких дополнительных сил и три милиционера не смогут противостоять тридцати боевикам. Или уже двадцать пяти?

Он закрыл дверь, как будто она, такая хлипкая, могла его защитить. Но закрытая дверь придавала какое-то забытое, детское чувство защищенности. Теперь с минуты на минуту нужно было ждать гостей. Хотя прежде всего они отправятся на площадь. Если увидят там выстроенные внедорожники, то поймут, что город сдался. Там они потратят час или полтора. А потом вспомнят и про Рашита, и про женщину со своим напарником, которые въехали в город раньше всех.

Он снова прислушался. В здании шум моторов не был слышен. Все-таки этот корпус строили вполне основательно. Жаль, что у них отняли второй этаж — сейчас было бы удобнее вести оборону сверху. Но после перепланировки вход на второй этаж был с другой стороны. Там размещался отдел социального обеспечения, куда ходили пенсионеры.

Сангеев взглянул на два разноцветных телефонных аппарата. Неужели Эльбрус действительно решил подготовить бандитам машины для их прорыва через границу? Неужели он не понимает, что даже если отбросить в сторону этические моменты, то это попросту уголовная статья. Мэр помогает бандитам в их незаконных действиях... Интересно, где он сам прячется? В здании мэрии он, конечно, не рискнет оставаться и домой не поедет, чтобы его там не нашли. Наверное, в какой-нибудь из квартир своего брата-бизнесмена. Ведь у того есть квартиры по всему городу. Наверное, спрятался там и ждет, когда бандиты уедут. Вот тогда он развернется. Обвинит милицию, что не смогла защитить людей, расскажет о своей проницательности и предусмотрительности, которые он вовремя проявил. Словом, припишет себе все заслуги. Ну и черт с ним. Самое главное — люди, чтобы они остались в живых. Напрасно он послал сержанта к жене, чтобы тот ее успокоил. Нужно было, наоборот, предупредить ее об опасности, чтобы они спрятались где-нибудь. Но куда она заберет больную мать? Нет, он все сделал правильно. Бандиты явно не сумеют прочесать весь город, в котором столько людей и домов. Им нужны машины и их друзья. Как только они их получат, так сразу и покинут город. Значит, главная задача — сделать так, чтобы задержать бандитов как можно дольше.

Он уселся за стол. Говорят, что в такие минуты вспоминаешь свою жизнь, свое детство. Оно у него было хорошим. Отец вернулся с войны капитаном гвардии. У него было два ордена и несколько медалей, которыми дети ужасно гордились. Уже потом, много лет спустя, Ильдус осознает, какой дар он получил в детстве. Ведь отец мог и не вернуться с войны. Ему было двадцать пять, когда он вернулся. Он успел жениться перед войной. Ему было только двадцать, а невесте девятнадцать. Во время войны у них родился старший сын, а после войны, в течение еще шестнадцати лет, — еще пятеро детей. Семья была дружная и работящая.

Ильдус с детства любил читать книжки про разных сыщиков и умных следователей. Он отслужил в армии, окончил школу милиции, поступил на юридический. Все казалось тогда таким светлым и стабильным... А потом он столкнулся с реальностью. Работая в милиции, нельзя долго сохранять романтический настрой и оптимизм. Это очень тяжелая и грязная работа, буквально иссушающая душу любого человека. Работа, безусловно, нужная; но как, ежедневно сталкиваясь с человеческими недостатками, сохранить веру в людей? Как остаться честным сотрудником госавтоинспекции, если зарплата у тебя нищенская, начальство требует деньги, а проезжающие автомобилисты охотно суют тебе деньги, даже умоляют, чтобы ты их взял? Как остаться честным человеком в уголовном розыске, если агентам ты все равно не платишь, прикарманивая их деньги и помогая им другим способом, а жизнью рискуешь ежедневно? Как остаться честным следователем, если твой сосед-бизнесмен, не платящий налогов и ввозящий товар, минуя таможенные пошлины, уже миллионер, а ты живешь буквально от зарплаты до зарплаты? Система была выстроена таким образом, что в ней нужно было либо брать деньги, вливаясь в общее русло, либо уходить. За каждое очередное звание следовало платить, каждая новая должность стоила денег.

Сотрудники милиции не уважали людей, а люди, в большинстве своем, не уважали сотрудников милиции. Глеб Жеглов, если бы он жил и работал в наши дни, конечно, не стал бы «крышевать» бандитов, но от дополнительного заработка никогда бы не отказался. Да и Шарапов стал бы другим. Нужно было бы кормить семью, дать детям нормальное образование, купить хорошую машину, получить квартиру; одним словом, жить не хуже других. Идеалистов в начале XXI века просто не оставалось — их сменили циники и мизантропы.

Такая ситуация сложилась во всех постсоветских республиках, ведь родимые пятна советской власти были везде одинаковыми. В Грузии решили пойти радикальным путем. Там просто ликвидировали госавтоинспекцию как структуру, которую невозможно избавить от коррупции. Возможно, раковую опухоль иногда полезнее вырезать, чем лечить.

В советские времена существовали парткомы, которые хотя бы формально призывали к каким-то моральным или этическим нормам. В постсоветские же времена людям дали понять, что нормы морали отошли в прошлое, а самая главная задача любого нормального человека — делать деньги и быть успешным. Тысячи сотрудников милиции стали «крышевать» бордели и наркотрафики, принимать заказы на убийства и грабежи. Тысячи других покровительствовали легальному игорному бизнесу или помогали перепродавать автомобили. Каждый устраивался как мог. Если взять структуру в целом, то на сто процентов сотрудников милиции приходилось девяносто восемь процентов коррумпированных и нечистоплотных; остальные два процента занимались техническим обеспечением, были водителями, уборщицами или сельскими участковыми, стеснявшимися обирать нищих соотечественников.

Ильдус Сангеев попал в милицию, все еще веря в собственные иллюзии. Но время было тяжелым, особенно «лихие девяностые годы», когда общая вседозволенность и моральная нечистоплотность шли с самого верха. Никаких сдерживающих центров у людей просто не оставалось. Милиции начали бояться даже больше, чем преступников. Это был не просто общий развал некогда великого государства. Это был развал самой системы нравственности, встроенной в генетическую структуру людей, искажение их моральных норм, разрыв сознания целого поколения.

Ильдус подумал, что все могло быть немного иначе. Если бы он согласился учиться в академии, получил бы назначение в другое место. На Кавказе свои обычаи и свои традиции, усугубленные хаосом и бандитизмом девяностых, криминальными разборками и войнами между народами и, наконец, хлынувшими сюда большими потоками денег. Но все получилось так, как получилось. Он открыл эту гостиницу, чтобы иметь постоянный и легальный доход. Он тратил всяческие штрафы на свои личные нужды. Он беззастенчиво брал деньги из бюджетных средств. Собственно, так делали все. Он не был исключением. Он был одним из тех, кто ведет себя согласно правилам, уже принятым и устоявшимся в их системе. Но именно сегодня днем началось его перерождение. Избитая Салима, убитый Карпатов, цинизм бандитов, их уверенность в своих деньгах и возможностях больно ударили по его сознанию, заставили задуматься, оглянуться, попытаться понять — чем он был до сих пор и кем хочет оставаться? Может, поэтому он так твердо решил остаться, чтобы использовать этот уникальный шанс на внутреннее перерождение? Ведь каждому человеку важнее всего самооценка, самоуважение, без которого он просто не может существовать. И, даже получая деньги от Назара, он в глубине души знал, что поступает очень плохо, и переставал уважать прежде всего самого себя, а это самое страшное наказание, которое Бог мог придумать для человека.

Он услышал, как снова зазвонил красный аппарат, и удивился. Неужели Эльбрус остался в своем кабинете? Такая смелость мэра его удивила. Он снял трубку. И услышал незнакомый голос

— Кто это говорит? — спросил незнакомец.

— Куда вы позвонили? — Он уже начал догадываться, кто это мог быть.

— Здесь написано «начальник милиции», вот поэтому я и решил тебе позвонить, — сообщил собеседник. Теперь уже сомнений не было. В пять часов утра в кабинете мэра мог быть только незваный гость.

— Кто вы такой? — спросил Сангеев.

— А ты кто такой? Действительно начальник милиции?

— Да.

— Значит, ты и есть тот самый майор Ильдус Сангеев, сутенер и вымогатель, содержатель публичных домов и растратчик? — с явным удовольствием спросил позвонивший.

Вот такая слава о нем останется, подумал майор. Но, сдерживаясь, все-таки спросил:

— Кто со мной говорит?

— Малик с тобой говорит. Неужели не понял? Твой мэр сбежал отсюда. Никого в здании нет, даже дежурных. Вот мы и пришли сюда, чтобы поздороваться и поблагодарить за машины, которые вы оставили на площади.

«Он все-таки это сделал», — с огорчением подумал Сангеев.

— Чего молчишь? — спросил Малик. Голос у него был даже как бы интеллигентный, не грубый, хотя он и хамил.

— Тебе не с кем разговаривать? — осведомился Ильдус. — Ты позвонил, чтобы потрепаться?

— А ты шутник, майор... Ладно, хватит. За машины — спасибо. Если это твоя идея, то молодец. Считай, что спас город и свою задницу. Теперь быстро привези ко мне Рашита и Караматдина, и я буду считать, что ты свою задачу выполнил. Договорились?

— Не могу.

— Почему не можешь?

— Караматдин лежит в больнице, тяжело раненный. Сейчас он без сознания. Тебе наверняка уже все рассказали.

— Что именно мне должны были рассказать?

— Твои хулиганы устроили дебош в гостинице, избили до полусмерти одну женщину, запугивали других, побили и выгнали бармена. А потом начали стрелять по окнам. Пришлось их успокаивать.

— Вот стервецы, — добродушно произнес Малик. — Ребят тоже можно понять, решили оторваться по полной.

— И получили ранения: Караматдин в плечо, а Рашит в ногу. Вот тебе и вся информация.

— Нехорошо, — подвел итог Малик. — А где они сейчас? Один в больнице, я уже понял. А Рашит где?

— В следственном изоляторе.

— У вас, значит, — понял Малик. — Ну, тогда я сейчас за ним человека пришлю, пусть привезет его к нам.

— Ты не понял, — терпеливо сказал Сангеев, — он избил до полусмерти женщину и стрелял в сотрудников милиции. Я не знаю, какие грехи за ним числятся в вашей банде, но здесь он будет отвечать по закону.

— Ты все-таки у нас юморист, майор, — хмыкнул Малик. — О чем ты говоришь? Это мой двоюродный брат. Неужели ты думаешь, что я его здесь оставлю? Машины ты мне выставил, а брата отдавать не хочешь?

— Он преступник, Малик, и должен сидеть в тюрьме.

— Тогда зачем мне твои машины? Пустой металл. Неужели ты думал, что меня можно купить этими машинами? Я бы и сам их взял. А Рашита ты мне отдай, не глупи.

Очевидно, он не знал, куда делась передовая пара, посланная им час назад в город.

— Машины я тебе не давал, их наша мэрия решила для тебя выставить, — сообщил Ильдус, — а Рашит сидит в нашем изоляторе, и надеюсь, что мы его сегодня отправим в областной центр, где его делом займется прокурор.

— Понятно. Решил поиграть со мной? Не боишься? У меня ведь столько людей, а у тебя их только... Сколько у него человек? — обратился к кому-то стоявшему рядом Малик.

— Трое, — подсказали ему.

Кто-то стоял рядом и подсказывал. Этот кто-то точно знал, сколько сотрудников в городском отделе милиции, на каких машинах можно проверить выучку Владлена Семенова и как много внедорожников в их городе. Интересно, кто это мог быть?

— Вас три человека, — подвел неутешительный итог Малик. — Ладно, давай по-хорошему. Если

женщину побил и разгром устроил, значит, неприятности вам причинил и убытки нужно компенсировать. Я сегодня добрый. Увидел, как вы машины в
ряд поставили, и растрогался. Решил ответить лю-
безностью на любезность. Сколько ты хочешь за
беспокойство. Пять тысяч? Десять тысяч?

«Они все думают примерно одинаково, — вздохнул про себя Сангеев, — и наш мэр, и главарь банды.
Значит, и я был примерно таким же».

— Нет, — сказал он, — ты опять меня не хочешь
понять. Никаких денег. Машины тебе дали, — садитесь и уезжайте. А твоего двоюродного брата мы оставим у себя.

— Значит, это ты меня не понял, — сказал уже с
явной угрозой Малик, — я хотел с тобой по-хорошему. В общем, сделаем так: деньги я тебе не дам.
Я всегда один раз предложение делаю — и мужчинам, и женщинам. Согласен — берешь деньги. Раз задумался или заколебался — значит, не мой человек.
Решаем вопрос иначе. Сейчас к тебе подъедут мои
ребята. Постарайся их не злить. Выдашь им Рашита
живым и невредимым, они его заберут и уедут. Я даже попрошу, чтобы они тебя случайно не пристрелили, хотя им трудно будет сдерживаться. В общем,
жди гостей, майор, и не зли меня больше.

Он отключился. Сангеев положил трубку. Слова, мышление и действия одинаковые — и у мэра, и у
главаря банды. Может, поэтому мы так трудно жи-

вем, что все они такие одинаковые, неожиданно подумал он. Может, нам нужно избавляться и от тех, и от других? Интересно, кто стоял рядом с Маликом, когда он разговаривал? Это был кто-то из местных, раз он знает, что в городской милиции служат только три сотрудника. Это был местный. Кто?

А теперь нужно готовиться к очередному визиту. Всех своих людей он сразу не пошлет. Пришлет одну машину и трех-четырех бандитов, чтобы забрать Рашита. Он пока не знает, что в изоляторе находится его женщина и убитый напарник. Если узнает, то сам приедет сюда со всеми своими боевиками. Сангеев взглянул на часы. Как медленно движется эта часовая стрелка! Нужно еще столько времени продержаться...

ГЛАВА 16

Уже второй час он не находил себе места. Вернувшись домой, отправился в душ. Затем попытался читать газету. Включил телевизор, который здесь по ночам показывал лучше, чем днем. Поймал себя на мысли, что не смотрит его. Выключил телевизор, прошел на кухню. Он не понимал, что именно с ним происходит. Вспоминая события сегодняшнего дня, он чувствовал себя последним мерзавцем и предателем.

Лейтенант Альберт Орилин был молод и, как всякий молодой человек, категоричен в своих решениях и мыслях. Он вспомнил, как выстрелил в прыгающего из окна преступника, как его мутило от одного вида крови. Вспомнил, как мужественно вел себя Ильдус Сангеев. Лейтенант пытался успокоиться и ободрить самого себя, но чувствовал, как в нем нарастает беспокойство. Сегодня он поступил подло и трусливо, бросив другого офицера умирать в одиночку. Он не имел права уходить оттуда. Он не должен был оставлять Сангеева одного. Чувствуя, как беспокойство его буквально раздирает, он бросился к телефону и, подняв трубку, опустил ее на рычаг. Телефон не работал. Это еще больше усиливало его беспокойство.

Ему нужно было остаться. Все это время Сангеев относился к нему как наставник, как старший товарищ, прощал разные мелочи, старался сделать из него опытного оперативника. И при первой же возможности он бросил свой пост и своего товарища. Чувствуя, как внутреннее недовольство становится невыносимым, Орилин решил одеться, чтобы вернуться на работу, когда в дверь осторожно постучали. Он удивился. В такое время ночи кто это может быть?

Подойдя к дверям, Альберт посмотрел в «глазок» и с изумлением обнаружил, что это была Лана Борисовна — вице-мэр города. Конечно, они и раньше встречались на этой квартире, которую она словно специально держала для своего любовника, чтобы он жил в соседнем доме, совсем недалеко от нее. Но так поздно она никогда не приходила. Альберт открыл дверь, и она вошла в его квартиру. Поцелуй был долгим. Она вообще отдавалась ему со страстностью женщины, у которой давно никого не было. Конечно, любовники у нее были, и не один, но это были солидные мужчины, которые сами домогались Ланы. Она всего лишь отдавала им свое тело. А ей хотелось любви. И, встретив этого молодого, еще не совсем испорченного офицера милиции, она влюбилась в него так, как может влюбиться женщина, которой уже много лет и которая никогда не испытывала этого чувства. Они прошли в гостиную.

— У тебя хороший вид из окна, — сказала Лана, — прямо на нашу центральную площадь.

— Ты опять намекаешь, что именно ты сделала мне эту квартиру, — несколько раздраженно заметил Орилин.

— Глупый. Мне, наоборот, очень приятно, что я могла тебе помочь, — улыбнувшись, сказала она. — Давай пойдем в спальню. Я очень соскучилась, — и она попыталась поцеловать его в шею.

— Нет, — он вырвался из ее объятий, — извини, но не сейчас. Что у вас там происходит? Почему на площади столько машин?

— Это наш мэр приказал, — усмехнулась она, — совсем со страху голову потерял. Ему брат посоветовал так сделать. Вот наш Эльбрус и решил собрать все внедорожники и поставить их на площади с оставленными ключами.

— Для бандитов? — не поверил Альберт. — Он с ума сошел?

— Он считает, что бандиты возьмут машины и уедут. Пусть так и будет. Это не наши проблемы.

Она снова попыталась его обнять.

— Это наши проблемы, — снова вырвался он, — неужели ты ничего не понимаешь? Он приготовил машины для банды Малика Кулмухаметова. Им как раз это и было нужно, чтобы попытаться прорваться через границу.

— Почему ты так нервничаешь? — не поняла Лана. — Ну и пусть убираются. Нам без них легче будет жить.

— Они не уедут просто так. Они захотят забрать еще и родственника Малика, который сидит у нас в изоляторе. Они поедут за ним туда.

— Эльбрус предлагал твоему дураку начальнику освободить этого бандита, но тот отказался.

— Он не дурак, он правильно отказался. Пока Рашит сидит в нашем изоляторе, они никуда не уедут. Сангеев — единственный мужчина среди нас.

— Да что ты говоришь? — всплеснула она руками. — Его давно пора гнать на пенсию. Ты учти, что я на тебя имею большие виды. Тебе уже скоро дадут старшего лейтенанта, и наверняка ты заменишь этого обрюзгшего старика.

В тридцать восемь лет ей казалось, что почти пятидесятилетний Сангеев был динозавром. При этом она забывала, что разница между ней и Орилиным была больше, чем между ней и «стариком» Сангеевым.

— И потом, какой он мужчина? — поморщилась

Лана. — Типичный размазня, сутенер, который содержит публичный дом, мелкий жулик, который ворует даже краску, отпущенную на ремонт отделения. С таким даже противно общаться. Какой он мужчина?

— Он остался один, а мы все сбежали, — твердо сказал Альберт. — Он остался один против целой банды.

— Ну и правильно сделали. Отойди от окна, чтобы тебя не видели. У вашего сержанта четверо детей, кто их будет кормить? А тебе даже двадцати пяти не исполнилось. Почему ты должен лезть под пули ради этого никчемного майора?

— Не ради него, ради себя, — тихо попытался объяснить ей Орилин.

— Это все глупые и никому не нужные слова. — Она снова подошла к нему, обняла за плечи. — Я действительно очень соскучилась. Не стой как чурбан. Неужели ты не понимаешь, что тебе не следовало рисковать ни ради вашего майора, ни ради этого бандита? Если даже мэр города считает, что им нужно уступить. Ты же не можешь со своим пистолетиком выйти против целой банды? Сколько их человек? Сто или двести?

— Тридцать...

— Какая разница? Все равно много на вас троих. Сержант — молодец, тоже ушел. И ты не будь дураком. Ну, идем быстрее в спальню. В конце концов, это уже неприлично — заставлять себя так долго упрашивать. Я заперла ребенка дома одного. Давай быстрее!

Он начал поддаваться. В двадцать пять лет так приятно сознавать, что тебя любит взрослая, уже состоявшаяся женщина, к тому же занимающая столь высокий пост. Они прошли в спальню. Не дожидаясь любовника, она первая скинула с себя платье.

— О чем ты думаешь, — спросила она, продолжая раздеваться, — неужели опять о вашем майоре? Ну, это просто нечестно. Иди сюда, ко мне. Ну будь, наконец, настоящим мужчиной.

Он замер. Похоже, она даже не осознала, какую именно фразу сейчас произнесла.

— Извини, — сказал он, — пожалуйста, извини меня. Но я действительно хочу быть настоящим мужчиной. Ты должна меня понять, Лана. Если я сейчас не вернусь в отдел, то потом не прощу себе этого никогда. Никогда в жизни. Может быть, сегодня, сейчас, это единственная возможность стать настоящим мужчиной. Принять решение и отвечать за него. Защитить город от бандитов. Прости меня. — Он повернулся и бросился в прихожую, надел пиджак, затем — свой короткий плащ, схватил оружие и выбежал из квартиры. Хлопнула дверь. Лана осталась сидеть на кровати с уже снятым бюстгальтером.

— Старая ты дура, — сказала она беззлобно, — так

тебе и нужно. Мальчишка тебе почти в сыновья годится. Тринадцать или четырнадцать лет разницы, а ты к нему в постель лезешь. Вот он тебя и отшил.

Она протянула руку, взяла бюстгальтер. Странно, что ей не так обидно, как хотелось бы. Она оделась, поднялась и подошла к окну.

— Глупый мальчик, — усмехнулась она.

Конечно, глупый. Так наивно рисковать собственной жизнью, подставлять голову под пули бандитов... Но, с другой стороны, он молодец, не испугался. Все-таки решил побежать на помощь своему товарищу. Она в нем не ошиблась. Он действительно настоящий мужчина. Лана вспомнила про своего непосредственного начальника. Этот не побежал бы ни за что в жизни. Кроме своей должности и денег, его больше ничего не волнует. Какой примитивный тип! Вот так и проживет всю жизнь, выгадывая и пытаясь сэкономить, обманывая других и прежде всего самого себя.

А этот молодой лейтенант, еще совсем мальчик, который так трогательно и наивно ведет себя в постели, гораздо бо́льший мужчина, чем многоопытный мэр города. Она это хорошо знает: ведь для того, чтобы получить должность его заместителя, она почти два месяца спала с этим ничтожеством. А сейчас его брат-бизнесмен пытается получить ее «по наследству». Конечно, она одинокая женщина и ей

нужно быть любезнее с такими типами; но для сердца, для души она выбирает Альберта Орилина.

Лана оглядела квартиру. Здесь все нормально,
она сама подбирала ему занавески и мебель. Надеюсь, что он вернется живым и здоровым, подумала
Лана. В конце концов, бандиты могут и не вспомнить про своего товарища. Главное для них — срочно убраться отсюда.

...Орилин бежал по улице, спотыкаясь и едва не
падая. Лейтенант еще не знал, что, пока он принимал
решение, Малик уже был в мэрии города, откуда позвонил майору Сангееву и отправил в милицию внедорожник с тремя боевиками, приказав им привести
Рашита. Он даже милостиво велел не убивать начальника милиции, если тот не окажет сопротивле-
ния. Хотя он заранее был уверен, что майора все равно пристрелят. Уж очень его бандиты не любили сотрудников милиции. Но это было бы их личное дело.

Ильдус видел, как машина с тремя боевиками
подъехала к зданию милиции. Он специально открыл входную дверь и вышел в коридор с автоматом
в руках. Двое бандитов, весело переговариваясь,
поднимались по ступенькам в здание. Третий остался за рулем. Эти двое открыли дверь и вошли в коридор. В тесном коридоре трудно было развернуть-
ся. Ильдус открыл огонь на поражение, не сказав им
ни слова. Они увидели его в последний момент и тоже ничего не успели сказать, даже крикнуть. Он рас-

стрелял всю обойму, прежде чем опустил автомат. Оба бандита лежали на полу в нелепых позах.

Сангеев подошел ближе. Он услышал, как, взвизгнув шинами, отъезжает от здания милиции внедорожник с третьим, оставшимся в живых бандитом, который понял, какую именно встречу им организовали в милиции. Когда Ильдус выбежал на улицу, было уже поздно — машина скрылась за поворотом. Он разочарованно опустил автомат и вернулся в здание. Снова запер входную дверь. Но на этот раз оттащил обоих бандитов в соседний кабинет. Тащить их вниз не было никаких сил.

«Кажется, у Малика осталось только двадцать три боевика, — подумал он. — Если немного потянуть время, может удастся задержать их здесь».

Он понимал, что теперь начнется самое сложное. Ведь бандиты уже понимают, что он готов стоять до конца. Опять зазвонил красный телефон. Неужели Малик хочет опять с ним разговаривать? Майор перезарядил автомат и поднял трубку.

— Ты у нас герой, Сангеев, — услышал он ровный голос Малика, — говорят, застрелил двух наших. Молодец. Я даже не думал, что такие герои в жизни бывают. Считал, что их только в кино показывают. А ты решил таким героем стать? Хочешь, чтобы тебе памятник поставили после смерти? Только ты напрасно стараешься. Памятника не будет. Ничего не будет, майор. Будут только черви, которые с удовольствием съедят твое разлагающееся тело.

— Зачем позвонил?

— Ты можешь мне внятно объяснить, зачем убил моих людей? Что мы тебе сделали? Ты типичный продажный мент. Почему ты так глупо себя повел? Я просто хочу понять это перед тем, как тебя убить. Мне все здесь рассказывают, что ты просто мелкий жулик. Даже краску, которую дают на ваш отдел, ты воруешь. И еще смеешь считать себя героем. Или ты просто дурак?

«Кто? — снова подумал Ильдус. — Про краску знали только в мэрии: Эльбрус и Лана. Они тогда закупили дешевую краску, нужно было покрасить все здание. Неужели мэр города может быть пособником бандитов? Нет, иначе он не стал бы предупреждать Ильдуса о возможном появлении банды. Нет, нет, значит, это не он. Тогда Лана? Тоже не похоже. Где она и где эти бандиты? Хотя кто знает...»

— Не знаю, кто тебе рассказывал про меня, но, очевидно, тебе должны были сообщить, что я не дурак, — ответил Сангеев.

— Тогда зачем ты убил моих людей? Отдал бы им Рашита, и мы бы уехали. А теперь мы все должны приехать к тебе, устраивать стрельбу в центре города, можем попасть в случайных прохожих. Зачем тебе это нужно?

— Хочу избавить мир от таких сволочей, как ты и твоя банда, Малик. Чтобы людям легче жилось.

— Неужели ты серьезно? Ты еще ругаешься? И совсем не боишься?

— Не боюсь. — Он неожиданно почувствовал, что действительно не боится. Совсем не боится этого бандита, который тоже почувствовал, как изменился голос его собеседника.

— Тогда тебя придется убить, — сказал Малик, — ты просто не оставил нам выбора.

— Скажи, что мы заплатим ему большие деньги, — услышал он знакомый голос. И сразу понял, кто это говорит. Кто мог сказать Малику про краску и кто вообще мог информировать банду.

— А ты скажи Халиму, что хоть он и брат мэра, но большая сволочь, — попросил Сангеев.

— Он говорит, что ты сволочь, — любезно передал Малик и захохотал: — Как ты его услышал? Наверное, я неправильно включил этот пульт, когда с тобой разговаривал. Ты верно его вычислил. Халим давно наш человек в вашем городе.

— Я примерно так всегда и подозревал. Скажи, что теперь эту сволочь мы приговорили. Пристрелю его при первом же удобном случае.

— Не пугай, — отрезал Малик, — все равно ничего не получится. Мы сейчас за тобой приедем.

— Приезжай, я буду вас ждать, — он положил трубку.

— Этот майор чокнутый, — убежденно произнес Халим. — Там еще двое сотрудников: молодой лейтенант — он к нам по распределению прибыл — и сержант из местных. У него семья большая, жена в больнице работает, четверо детей. Может, они даже там не остались и майор один сидит.

— Это мы проверим, — кивнул Малик.

Сангеев закончил разговаривать и еще раз подумал о природе человеческой низости и предательства. Халим Казиев, который готов был на все ради лишних денег, предал не только свой город, но и родного брата.

Теперь нужно быть готовым к массированному штурму. Они могут зайти с тыла, выбив дверь со двора. Как ему не хватает помощника! Если бы сейчас его спину кто-нибудь прикрывал, он сумел бы отстоять это здание и от большего числа бандитов. Почему-то он был убежден в этом.

Ильдус услышал шаги. Кто-то постучал в дверь. Сангеев поднял автомат и выскочил в коридор.

— Это я, — крикнул Альберт Орилин, — пустите меня, я вернулся.

Сангеев подошел и, открыв дверь, впустил лейтенанта.

— Извините, — сказал Орилин, — я решил вернуться. Не могу оставаться дома.

— Как знаешь... — Майор не хотел показывать, что очень рад появлению лейтенанта. И хотя Орилин стрелок явно неважный, зато он сможет следить за второй дверью и не допустит сюда боевиков.

— Ты из автомата стрелять умеешь? — спросил Сангеев.

— Умею, но плохо, — честно признался лейтенант.

— Значит, умеешь. Бери автомат и иди ко второй двери. Если оттуда кто-нибудь попытается войти, сразу дай очередь.

Орилин кивнул, забирая автомат, и прошел в конец коридора.

— Они скоро будут, — крикнул ему майор. — Учти, что если они ворвутся сюда, то нам лучше отступать в изолятор. Я там ключи изнутри вставил. Дверь металлическая, надежная, ее просто так не выбьют.

— Но там нет второго выхода, — напомнил Орилин.

— Нам и не нужен второй выход, — возразил Сангеев, — будем держать первый.

Теперь понятно, почему мэр так хотел, чтобы эта банда быстрее ушла за границу. Очевидно, он знал о связях своего брата с бандитами — а может, и сам был связан. Теперь уже не стоило ничему удивляться.

— Орилин, — закричал майор, — я хотел тебя предупредить! Если вдруг меня убьют, то ты знай: Халим Казиев — предатель и сообщник бандитов! Если увидишь его, то можешь расстрелять на месте. Именем республики. Считай, что я вынес ему приговор как начальник местной милиции в прифронтовой зоне.

— Понял! — крикнул в ответ Орилин.

Минут через пять к зданию милиции подъехало сразу несколько машин. Они их услышали.

— Сейчас начнется, — шепотом сказал майор.

И в этот момент дом потряс страшный взрыв. Входную дверь вышибли выстрелом из гранатомета. А потом началась стрельба сразу из двух десятков автоматов. Оба офицера лежали на полу, стараясь не поднимать головы, пока свинцовый шквал хлестал по окнам, пробивая жалюзи и стекла навылет.

— Они полезут, как только закончат стрелять! — крикнул Сангеев.

ГЛАВА 17

Oчевидно, на улице перед домом было не меньше пятнадцати боевиков. Сначала они долго стреляли. Еще один взрыв гранаты разворотил ворота во двор. Бандиты увидели «Волгу» и начали громко кричать. Очевидно, они поняли, что и посланная вперед пара, которую они искали по всему городу, оказалась в милиции. А затем бандиты пошли на штурм.

Сразу несколько человек попытались ворваться в коридор, но Сангеев встретил их автоматным огнем. Со стороны двора никаких попыток пробиться пока не было. Кажется, он ранил двоих, но бандиты поняли, что лезть напролом глупо. Они устроили импровизированное совещание, затем снова принялись поливать огнем окна и здание, словно рассчитывая выкурить из него обоих офицеров.

— Как ты? — крикнул Сангеев своему напарнику по этому смертельному бою.

— Нормально, — закричал в ответ лейтенант, — я здесь, за нашим старым шкафом. Его даже автоматной очередью не пробить. Не беспокойтесь.

— Спасибо. Не буду беспокоиться, — отозвался майор, счастливо улыбаясь. Все-таки лейтенант вернулся, и это было самое главное. Выстрел из гранатомета разнес его кабинет в щепки. Кажется, больше никаких переговоров с Маликом не будет, подумал Сангеев даже с некоторым облегчением. Он прополз дальше, набирая себе гранат. Сейчас они должны полезть. Вместо окна теперь зиял огромный пустой пролет.

Бандиты с криками ринулись к зданию. Майор приподнялся, бросая одну за другой гранаты. Взрывы потрясли улицу. Не ожидавшие подобного боевики спешно отступили, оставив несколько убитых на земле.

Кто-то вышел из машины и, показывая в сторону здания, начал отдавать приказы. Он был среднего роста, плотный, темноволосый, с характерной черной бородой. Возможно, это был сам Малик. Четверо бандитов ринулись во двор. Они тащили с собой гранатомет. Еще через минуту тяжелая дверь была разнесена на куски. В образовавшийся проем бросились нападавшие. Орилин дал очередь. Кажется, ни в кого не попал, но нападавшие остановились. Орилин дал вторую очередь.

— Береги патроны! — крикнул ему майор.

Плотный мужчина, которого он заприметил, продолжал энергично командовать. Кажется, они поняли, что нужно попытаться просто выбить обоих офицеров из здания, а их массированный огонь по камням и окнам почти не помогает этому. Нападавших было очень много. Сангеев хотел взять еще несколько гранат, но бандиты заметили движение и открыли шквальный огонь. Пришлось спрятаться за выступ стены. Он еще несколько раз стрелял, пока не израсходовал все патроны. У Орилина еще оставалось немного, но нужно было попытаться подползти туда, где был раньше угол кабинета и где лежали боеприпасы. Сделать это под огнем бандитов было просто немыслимо.

Незнакомый мужчина продолжал командовать, показывая на разбитое окно в кабинете Сангеева.

«Если сейчас не возьму патроны, то они сюда ворвутся», — понял майор, приготовившись прыгнуть в развороченный угол. И в этот момент раздался выстрел. Чернобородый повернулся, как-то неловко взмахнул рукой и упал. Раздался второй выстрел, и стоявший рядом с ним боевик тоже упал. Бандиты поняли, что в них стреляют сзади, и начали отступать. Майор бросился в угол, набрал гранат и патронов. В них уже не стреляли.

Теперь бандиты палили в окно соседнего дома, откуда раздались два выстрела из ружья. Еще один ружейный выстрел уложил третьего. Сангеев усмехнулся. Он знал, кто именно мог стрелять так метко. Очевидно, Назар достал свое ружье и пришел к ним на помощь.

Неожиданно майор увидел, как за одной из машин заряжают гранатомет, явно намереваясь достать неизвестного стрелка.

— Уходи, — крикнул, приподнимаясь, Сангеев, — уходи!

В него начали стрелять с двух сторон, и он почувствовал, как пуля пробила правое плечо. Рука бессильно повисла. Один из бандитов прицелился и выстрелил из гранатомета как раз тогда, когда в окно высунулся ствол ружья. Выстрел разнес не только окно, но и часть дома.

— Эх, Назар, Назар, — морщась от боли, прошептал Сангеев. Правая рука висела как плеть. Он попытался поднять пистолет, но не смог. Кажется, стрелять правой рукой он уже не сможет. Но у него есть целый ящик гранат, которые лежат рядом. Вырывая зубами чеку, он бросал гранаты в бандитов, крича от радости. Орилин оглянулся. Зрелище было незабываемым. Стоявший у разбитого оконного проема майор Сангеев бросал левой рукой гранаты, и на лице его были такая радость и такое торжество, что Орилин даже замер. Автоматные очереди пробили тело майора. Последнюю гранату он выбросить не успел. Пошатнулся. Еще одна очередь снова пробила его тело. Он опустил руку, в которой была зажата граната, и улыбнулся в последний раз. А потом раздался взрыв.

— Нет, — закричал Орилин, — нет!

Не обращая внимания на выстрелы, он каким-то чудом сумел подскочить к тому месту, где лежало разорванное тело майора, и, схватив последние две гранаты, вырвал чеку и швырнул их в проем.

Нападавшие отступили. Они оттащили своих раненых, а одна машина поехала в мэрию, где их ждал сам Малик, так и не принявший участия в этом нападении. Ему доложили о смерти майора Сангеева.

— Вот упрямый осел, — зло пробормотал Малик. — Иногда нарываешься на такого доморощенного героя и не знаешь, что тебе делать. Вы его точно убили?

— Он сам себя убил, — сообщил один из приехавших, — у него граната взорвалась в руке.

— Туда ему и дорога. Кто там остался?

— Говорят, что какой-то лейтенант, — сообщил один из бандитов, — но мы точно не знаем. И там еще один стрелок появился. Он в доме сидел, в подъезде на третьем этаже, и в наших стрелял. Но его мы тоже убрали.

— Это какой-то город сумасшедших. Сколько наших погибло?

— Шесть человек, — сообщили ему, — и пятеро ранены.

— Мы не сможем уйти с такими потерями через границу! — разозлился Малик. — Найдите Халима, пусть поговорит с этим лейтенантом. Сколько можно терять людей? Мы в горах за год столько людей не теряли, сколько здесь за один день!

— Там еще была машина Лайлы, — сообщил один из боевиков.

Малик схватил его за горло.

— Значит, она тоже там, а мы ее ищем по всему городу?! Почему сразу не сказал?!

— Машина во дворе была. Мы даже сначала не поняли, что это их тачка. А потом ребята сказали, что Лайла уехала на ней вместе с Бронтоем.

— И до сих пор не вернулась, — напомнил Малик. — Значит, их тоже арестовали и они в изоляторе! В общем, передай, пусть прекратят стрелять. Если там один лейтенант остался... Найдите Халима, пусть быстро отправляется туда.

...Альберт оттащил тело Сангеева в коридор. Лицо майора почти не пострадало. Лейтенант посмотрел на него и заплакал. Он чувствовал свою вину, словно Ильдус погиб именно потому, что он не остался с ним сразу, а пришел сюда немного позднее.

— Я принимаю руководство городским отделом милиции, — сказал, всхлипнув, Орилин, — можете быть уверены, что я не отдам заключенных этим бандитам. Даю вам слово.

В этот момент кто-то с улицы крикнул:

— Не стреляй! К тебе идут. Не нужно стрелять!

Он услышал, как кто-то пытается войти, поднял автомат. У человека в руках был белый флаг. Орилин узнал этого типа. Халим Казиев, известный городской бизнесмен и брат мэра города. Кажется, майор сказал перед смертью, что это предатель.

— Не подходи, — поднял автомат Орилин.

— Подожди, — быстро попросил Халим, — не нужно стрелять. Это я, брат мэра. Ты же меня знаешь. Послушай, что я тебе скажу. Майор уже убит. Ты молодой человек, сражался, как герой, об этом все уже знают. Весь город. Поэтому давай поговорим спокойно. В этом изоляторе сидят женщина их руководителя и его родственник. Отпусти их, и тебя никто не тронет. Честное слово! Все равно твой упрямый майор уже умер, и никто к тебе на помощь не придет. Там сзади, наверно, Назар стрелял, но его тоже убили. Зачем тебе это нужно? Ты к этому городу не имеешь никакого отношения. Приехал — и уедешь отсюда. А нам здесь жить. Давай по-хорошему.

— Сейчас они вас видят, чтобы я ответ вам мог передать? — спросил Орлин.

— Конечно, видят, — улыбнулся Халим, оборачиваясь на бандитов, столпившихся у своих машин.

— Именем нашего государства, — сказал лейтенант Альберт Орилин, поднимаясь на ноги, — как исполняющий обязанности начальника городской милиции, которые я принял после смерти майора Ильдуса Сангеева, и учитывая прифронтовую обстановку, а также отсутствие суда в нашем городе, я выношу решение о расстреле предателя и негодяя Халима Казиева. Приговор будет приведен в исполнение немедленно и обжалованию не подлежит.

— Что ты сказал? — так и не понял Халим. — Что за дурацкая комедия?

Лейтенант поднял автомат и дал очередь. Халим пошатнулся — белый флаг выпал у него из рук и упал на пол. Бандиты снова начали стрелять. Орилин отполз назад. Он даже не совсем понимал, что именно происходит, — в таком состоянии прострации и ярости он был.

Стрельба и разрывы гранат слышались по всему городу. Люди шепотом передавали друг другу, что у здания городской милиции идет настоящее сражение, в котором сотрудники милиции держат оборону здания против целой банды. Мальчики Ризвана не спали. Они собрались в комнате, прислушиваясь к выстрелам.

— Папа, — спросил самый младший, — а почему ты дома? Почему ты не там?

Четыре пары глаз уставились на сержанта. Он оглянулся на жену. Она пришла из больницы, уверенная, что муж находится в здании милиции, и очень обрадовалась, найдя его дома.

— Меня отпустили, — сказал Ризван, стараясь не глядеть в глаза мальчишкам.

— Но они там сражаются, а ты сидишь дома, — сказал другой сын, чуть постарше.

— Хватит! — вмешалась мать. — Почему вы так рано проснулись? В чем дело? В другое время вас в школу не разбудишь, а теперь все четверо поднялись. Идите спать!

Ризван нахмурился. В другое время он знал бы, как ответить сыновьям. Но сегодня...

— Не смей даже думать, — сказала Хатира. Она умела читать его мысли, он об этом знал.

— Наш папа не должен здесь сидеть, когда там убивают других милиционеров, — сказал четырнадцатилетний сын.

— Там остались офицеры, — сказала мать, — а ваш папа только сержант. Он не должен воевать.

— А ты говорила, что он самый смелый человек в нашей милиции, — не унимался младший.

— Замолчи, — крикнул старший, — папа туда из-за нас не пошел! Он боится, что его убьют.

Ризван это услышал. Он подумал, что теперь всю оставшуюся жизнь будет смотреть в глаза четырех сыновей, которые всегда будут помнить эту ночь и как именно испугался их отец. Перенести такое было просто невозможно, представить немыслимо. Он резко поднялся.

— Нет, — крикнула Хатира, — я тебя не пущу!

— Я должен, — твердо сказал Ризван, — ты понимаешь, что я должен. Ради наших мальчиков. Кого мы растим, Хатира? Мужчин, которые будут знать, что их отец не испугался, или трусов, которые будут презирать своего отца, бросившего своих товарищей?

— Ты туда не пойдешь, — уже шепотом произнесла она, глотая слезы.

— Скажи, что мне делать, Хатира? Ты мать моих сыновей. Скажи, как мне быть? Как потом я смогу завоевать уважение моих мальчиков? Скажи мне, Хатира!

Она обернулась. Четыре пары внимательных глаз смотрели на нее. Она заплакала. Он был прав. Если сейчас он останется, мальчики запомнят это на всю жизнь. Но если он уйдет, то не вернется, это она тожс почувствовала. Нужно было выбирать между смертью своего мужа и жизнью четверых сыновей. Именно таким был выбор. И она чувствовала это своим материнским сердцем.

— Иди, — шепотом сказала она, — иди и сражайся, как мужчина. И пусть твои сыновья знают, что их отец был настоящим мужчиной!

Она села на кровать и заплакала.

Мальчики обступили мать. Только старший остался немного в стороне. Ризван быстро оделся, взял свое оружие, обернулся к старшему сыну.

— Ты остаешься вместо меня, — сказал он, — помогай матери и защищай братьев. Только не смейте туда ходить. Обещаешь?

— Да.

— До свидания. — Он поцеловал старшего сына, затем обнял жену. Она понимала, что он уходит на войну.

Ризван подошел к дверям.

— Папа! — позвал его старший сын.

Он обернулся. Снова четыре пары глаз смотрели на него.

— Ты самый смелый человек в нашем городе, — сказал старший сын.

Ризван почувствовал, что не может сдерживаться. Он быстро вышел из дома. Уходил не оглядываясь. Так, наверное, уходили из этого города мужчины в сорок первом, когда их звали на самую страшную войну.

Сержант дошел до здания милиции и содрогнулся, увидев, во что превратилось их прежнее двухэтажное здание. Бандиты бегали вокруг и беспорядочно стреляли, очевидно, не понимая, как именно им стоит действовать. Ризван знал, что можно зайти с другой стороны и спрыгнуть во двор с балкона соседей. Сержант так и сделал. На земле перед ним лежал убитый бандит. Обойдя его, Ризван осторожно подошел к тому месту, где раньше была дверь во двор.

— Это я, Ризван, — крикнул он внутрь, надеясь, что его услышит Ильдус Сангеев. Но вместо него отозвался лейтенант Орилин:

— Быстрее заходи, Ризван, это я — Альберт.

— А где майор?

— Его убили. И Назара убили. Он хотел нам помочь, стрелял из соседнего дома. У нас осталось совсем немного патронов и гранат. Больше ничего нет.

— Внизу есть гранатомет с двумя гранатами, — напомнил сержант, — я его сейчас принесу.

— Я не умею стрелять из гранатомета, — признался лейтенант.

— Ничего, — ответил сержант, — зато я умею.

Он спустился вниз в изолятор. Рашит с ненавистью взглянул на него.

— Вы еще живые? Я думал, что вас всех перебили.

Сержант, не обращая на него внимания, пошел в камеру, где лежал гранатомет. Возвращаясь, увидел стоявшую за решеткой незнакомую женщину.

— Почему меня арестовали? — гневно спросила она.

Ризван пожал плечами. Если она здесь, значит, так нужно. Он забрал гранатомет с двумя гранатами и поднялся наверх.

— Чтобы ты сдох, — крикнула вслед ему женщина, — дурак чертов!

— Это ты дура, — подал голос Рашит, — приехала сюда, чтобы меня выручить, и сама попала в тюрьму! И еще Бронтоя застрелили из-за тебя. Нужно быть такими идиотами, чтобы попасться! Вдвоем сюда пришли с оружием...

— Заткнись! — закричала она. — А вы сами чем занимались вместе с Караматдином? Сами здесь все завалили! Ничего, когда мы отсюда выйдем, я все расскажу Малику, пусть узнает, какой у него братец.

— А мы отсюда не выйдем, — неожиданно сказал Рашит, — это я уже понял. Они все умрут, но нас не отдадут. И еще майор обещал, что последние пули нам достанутся. Поэтому ты лучше успокойся и привыкай к тюрьме. У тебя впереди теперь вся жизнь будет в тюрьме.

— Чтобы твой проклятый язык отсох, — пожелала злобно женщина, но он только улыбнулся, довольный своей шуткой.

ГЛАВА 18

Орилин перезарядил автомат и устроился в коридоре, соорудив перед собой некое подобие баррикады. В другом конце коридора обосновался Ризван, который взял другой автомат. Гранатомет лежал рядом с ним — Максудов решил оставить его на самый крайний случай. Бандиты пока не атаковали, словно размышляя, что делать дальше. На самом деле несколько минут назад они послали очередного связного к Малику, все еще находившемуся в здании мэрии. На часах было около девяти, но город словно замер. Улицы были пусты. Обе школы так и не открылись в этот день; люди боялись выходить из дома, а неработающие телефоны только усиливали состояние общей паники.

Малику рассказали об убийстве Халима Казиева. Тот выслушал связного молча. У него теперь оставалось в живых только двенадцать человек вместе с ним; остальные были либо ранены, либо убиты. В какой-то момент он даже подумал, что будет лучше, если он все бросит и просто сбежит. Но в изоляторе оставались Лайла и Рашит. При необходимости он бы пожертвовал и своей женщиной, и своим двоюродным братом. Но это могло не понравиться его боевикам, которые перестали бы уважать такого трусливого руководителя и уж тем более подчиняться ему. К тому же Лайла была связной между его группой и представителями зарубежного центра, которые выплачивали деньги его людям за каждый взорванный поезд, за каждую успешную операцию. Значит, Лайлу нужно было спасать в первую очередь.

— Неужели у этого лейтенанта никого нет? — спросил Малик. — В городе должны жить его родные, близкие, родственники, друзья...

— Он приехал сюда по распределению и живет один, — доложили ему через полчаса, — никаких родных в городе у него нет. А от женщины, с которой он жил, лейтенант уже давно ушел.

— Тогда она нам не нужна, — правильно рассудил Малик. — Сделаем иначе. Кто из наших лучший стрелок?

— Гафур у нас снайпер, — напомнили ему.

— Вот пусть он возьмет свою винтовку с оптическим прицелом и пусть уберет этого лейтенанта.

У нас и так людей не осталось, а из-за одного придурка я больше терять людей не хочу, — распорядился Малик. — И доставьте сюда врачей. Пусть перевяжут раненых прямо в здании мэрии.

...Лейтенант лежал в укрытии, ожидая очередного штурма. Ожидание затягивалось. Он окликнул сержанта:

— Как у тебя дела, Ризван?

— Все нормально, лейтенант.

— Почему ты пришел?

— А ты почему пришел?

— Стыдно стало. Майор тут один сражался, а я дома сидел. Хорошо, что пришел. Иначе кто бы его поддержал.

— И мне стыдно стало, — ответил сержант, — и мальчики мои спрашивали, почему я дома сижу. Поэтому и пришел.

— Правильно сделал, — улыбнулся лейтенант. — Как ты думаешь, почему они молчат?

— У них потери большие, — рассудительно ответил Ризван, — вот поэтому и молчат. Поняли, что мы будем стрелять до последнего патрона. А умирать никто не хочет. Они ведь за границу бежать хотели. Наверное, деньги приготовили, ценности. А здесь приходится умирать в семидесяти километрах от границы. Обидно. Вот они и перестали атаковать.

— Я тоже так думаю. А Халима Казиева я застрелил.

— Как это застрелил? — От удивления сержант даже отложил в сторону автомат. — Что ты говоришь? Как ты мог его застрелить? Он тоже был в числе нападающих?

— Нет. Но он пришел от них. А умирая, Ильдус Сангеев предупредил меня, что Халим предатель. Вот тот и пришел уговаривать меня сдаться. А я ему приговор объявил именем нашего государства и пристрелил его прямо на глазах у бандитов. Как ты думаешь, я правильно сделал? Все-таки у него в руках был белый флаг...

— Майор тебе что сказал?

— Что он приговаривает Халима к расстрелу, и просил исполнить приговор. Я объявил приговор Казиеву и пристрелил его.

— Мэр разорвет тебя на куски, — рассмеялся сержант, — это незаконный расстрел. Но ты все равно молодец!

— Он пришел от бандитов, а рядом со мной лежало тело Сангеева. Вернее, все, что от него осталось. Вот я и решил, что нужно исполнить справедливый приговор. Но только не от имени умершего, чтобы его не подставлять. Я вынес свой собственный приговор и расстрелял Халима на месте.

— Давно нужно было это сделать, — согласился сержант.

— Я, наверное, превысил свои полномочия, —

сказал лейтенант, — но я хотел выполнить волю Сангеева. Его последнюю волю.

— На твоем месте я бы поступил так же, — крикнул сержант. — Ты молодец, лейтенант!

В этот момент сухо треснул выстрел. Ризван подождал несколько секунд, затем негромко позвал:

— Лейтенант, что там у вас?

В ответ была тишина. Сержант обернулся. Лейтенант лежал на полу, улыбаясь. Последние слова, которые он услышал, была фраза Ризвана о том, что он молодец. И тут же выстрелил снайпер. Сержант растерянно смотрел на убитого. А потом услышал шаги и оживленные разговоры. Очевидно, боевики подходили к дому, уже ничего не опасаясь, — ведь последний защитник был убит. Сержант поднял автомат и, когда трое бандитов подошли поближе, дал длинную очередь. Он стрелял до тех пор, пока не закончились патроны, затем опустил оружие. Все трое бандитов были убиты. В ответ раздались беспорядочные выстрелы. Ризван оттащил тело Орилина в глубину комнаты и улегся за перекрытием. Теперь надо было следить за двумя входами — ведь бандиты могли появиться с любой стороны. Максудов подумал, что ему будет очень сложно.

Куляш жила в соседнем доме, рядом со зданием милиции. Окна выходили на другую сторону, но когда началась стрельба, она прибежала к соседям, чтобы увидеть все события своими глазами. Она видела смерть майора и долго плакала, глядя на развалины дома. Но оттуда продолжали стрелять. Куляш видела, как из окна соседнего дома стрелял Назар, который умудрился уничтожить несколько бандитов, прежде чем в его окно выстрелили из гранатомета. Затем все надолго затихо. И внезапно прозвучал выстрел. Потом длинная автоматная очередь — и снова выстрелы.

Девушка не выдержала. Она спустилась вниз, осторожно вышла из дома. Здание милиции было почти полностью разрушено. Она была местной и знала здесь все ходы и выходы. Поэтому, как и сержант, прошла дворами, обходя здание, и оказалась в доме, за внутренним двориком, где стояла «Волга» Лайлы. Спустившись вниз с балкона, Куляш осмотрелась и затем вбежала внутрь здания. Едва она вошла в здание, как над ее головой прозвучал выстрел.

— Куляш, дурочка, — крикнул сержант, — что ты здесь делаешь? Я же мог тебя убить! Хорошо, что в последний момент увидел, что это ты, и чуть отвел руку.

— Я пришла вам помочь, дядя Ризван! — крикнула она. — Вы не думайте, я могу стрелять. Меня один раз Альберт учил. Мы тогда за город поехали, и он мне показывал.

— Лежи и не высовывайся, — разозлился сержант, — у них снайперы есть! Лучше ползи за шкаф и спрячься там. Сейчас я тебе пистолет брошу. Снимешь с предохранителя и будешь ждать. Если кто-нибудь полезет, то стреляй сразу. Хотя бы в воздух. Или крикни, чтобы я услышал.

— Я все поняла, дядя Ризван, вы не думайте, что я боюсь. Я сама к вам пришла.

— А я и не думаю, — проворчал он. — Ты уже доползла до шкафа?

— Да, я здесь.

— Молодец. Сейчас пистолет брошу. Только ты с ним будь осторожней, в себя не попади.

— Я уже взрослая, — обиженно прокричала в ответ Куляш.

— Ты у нас молодец. Не обижайся, Куляш, я не хочу, чтобы и тебя убили. Сейчас я начальник городской милиции.

— А где дядя Ильдус?

— Его убили.

— А наш Альберт?

— Его тоже убили.

Она молчала, потрясенная его сообщением. Он посмотрел на улицу. Кажется, к бандитам подъехали еще две машины. Видимо, сам Малик пожаловал. Ему рассказали, что снайпер застрелил лейтенанта, но в здании был кто-то еще, кто расстрелял снайпера и двоих боевиков. Малик собрал всех оставшихся в живых людей и приехал к месту событий.

— Там никого не может быть, — убежденно сказал он, показывая на разрушенное здание городской милиции. — С чего вы взяли, что там еще кто-то сидит?

— Он убил Гафура и двоих наших, — сообщил Малику один из бандитов, отводя глаза. Они уже начали обсуждать между собой, что им делать. Ведь время шло, а они все еще торчали у этого развалившегося дома, в котором, словно куклы из матрешки, объявлялись все новые и новые начальники городской милиции.

— Их было всего три человека, — вспомнил Малик, — майор, лейтенант и, кажется, сержант. Неужели там остался сержант? Крикните ему, пусть он нам ответит.

— Сержант, — закричал один из бандитов, — ты нас слышишь?

— Слышу, — крикнул Ризван, — только здесь нет сержанта.

— А ты кто такой?

— Я новый начальник городской милиции, — ответил он.

Боевик обернулся к Малику.

— Новый начальник милиции, — повторил он.

— Я слышал, — зло сказал Малик. — У этого сержанта мания величия. Из-за одной проститутки они не отдают моего двоюродного брата. Из-за убитого пьяницы готовы перебить весь мой отряд. Подожди, я лучше с ним сам переговорю. Так будет быстрее и надежнее. Найдите мне какой-нибудь мегафон.

Через минуту ему принесли мегафон. Малик взял его в руки.

— Слушай меня, сержант! Я говорю только один раз и больше говорить с тобой не буду. Мы знаем, что у тебя большая семья. Майор был ненормальным психопатом, с ним нельзя было разговаривать. Ваш лейтенант был здесь чужим — ни кола, ни двора, ни знакомых, ни родственников. А ты, сержант, местный, имеешь большую семью. У тебя жена в больнице работает. Сейчас мои люди начнут искать твоих детей. Узнают, где живет твоя семья. И мы их найдем, сержант, обязательно найдем. А если не найдем, то будем ходить по семьям и расстреливать всех детей, пока нам не покажут твоих. Но когда мы их сюда приведем, будет поздно. Мы их все равно убьем на твоих глазах. Поэтому не будь таким упрямым. Отдай мне своих заключенных, и можешь оставаться отцом большого и дружного семейства.

Куляш от ужаса закрыла глаза. Она не представляла, как можно ответить на это предложение. Может, действительно, лучше отдать этих заключенных бандитов?

— Ты все слышала, Куляш, что он мне сказал? — спросил чуть дрогнувшим голосом Ризван.

— Да, — тихо отозвалась она.

— Значит, ты сама и расскажешь моим детям, что здесь произошло.

Максудов чуть отполз, взял гранатомет, зарядил первую гранату.

— Сейчас вы найдете мою семью, — упрямо сказал он, прицеливаясь прямо в центральную машину, и нажал на спуск. Взрыв подбросил машину, опрокинул соседнюю.

— Нас бомбят! — закричал один из перепугавшихся бандитов.

Ризван зарядил вторую гранату и снова выстрелил — на этот раз в машину, которая пыталась отъехать, в ней были сразу три боевика. Автомобиль взорвался и загорелся. Ризван бросил гранатомет, взял автомат и упрямо пошел на бандитов.

— Вот вам моя семья, — кричал он, расстреливая бандитов, — вы их все равно не найдете!

Он стрелял и стрелял, даже не чувствуя, что в него попали. Один раз, другой, третий. Четвертый выстрел пробил ему сердце, и он наконец выпустил из рук автомат.

Куляш видела все это и молча плакала. Малик, оставшийся в живых, оглянулся по сторонам. Горели машины, стонали раненые. Из тридцати боевиков, с которыми он должен был бежать за границу, в живых осталось только несколько человек. Малик покачал головой. Всего две целые машины, остальные были разбиты. Ну и черт с ними! Он бросит их всех. Живых и мертвых, раненых и обреченных. Ему нужно вытащить отсюда Лайлу, чтобы она уехала с ним. Он поднялся и, уже не скрываясь и не опасаясь, направился к зданию городской милиции. Вернее, к тому, что от него осталось.

Вошел в разрушенный коридор. Повсюду лежали убитые. Он мрачно огляделся, прошел к лестнице, ведущей в изолятор, спустился вниз. Дверь была открыта, ключи были вставлены изнутри. Очевидно, эти менты собирались отстреливаться до последнего и запереться в изоляторе. Он покачал головой. Почему они так глупо себя вели? Вытащил ключи и прошел дальше. Лайла, увидев его, вскочила. Рашит радостно крикнул.

— Я знал, что ты нас спасешь! — закричал он.

— Что с твоей ногой? — холодно спросил Малик.

— Ничего, — с напускной веселостью ответил Рашит, — я еще фору дам всем остальным. Буду бегать на своих двоих. Открывай двери.

Малик прошел мимо к решетке, за которой была Лайла.

— Почему ты проходишь мимо? — нервно спросил Рашит, но Малик даже не повернул голову в его сторону. Он смотрел на Лайлу.

— Ты молодец, — убежденно сказала она. — А где наши хозяева?

— Все трое убиты, — сообщил Малик.

Она улыбнулась ему. Он наклонился, чтобы вставить ключи и открыть дверь. Посмотрел на Лайлу. Выражение счастья на ее лице сменилось выражением ужаса. Что-то крикнул Рашит. Малик резко обернулся. За его спиной стояла молодая девушка, почти подросток, которая сжимала в руках пистолет.

— Именем республики, — сказала она, — я — новый начальник городской милиции Куляш Ахметова. Согласно законам прифронтовой зоны я приговариваю вас к высшей мере наказания — расстрелу. За убийства сотрудников милиции и бандитизм. Приговор окончательный и обжалованию не подлежит.

— Отдай пистолет, дурочка, — усмехнувшись, сказал Малик и сделал шаг по направлению к ней.

Она подняла пистолет и выстрелила, попав ему точно в лоб. Он пошатнулся и упал лицом вниз.

— Нет, — истошно закричала Лайла, — нет!!!

Куляш забрала ключи и, даже не оглядываясь на убитого, поднялась по лестнице, закрыла дверь, словно всю жизнь занималась именно этим. Затем огляделась. И спокойно двинулась по разрушенному коридору навстречу оставшимся боевикам. Их было четверо или пятеро. Они замерли в ужасе, когда увидели выходившую из полуразрушенного здания молодую девушку, похожую скорее на подростка.

— Ты кто такая? — крикнул один из бандитов.

— Где Малик? — спросил второй.

На часах было около двенадцати. Она посмотрела на бандитов, столпившихся вокруг нее.

— Я — новый начальник городской милиции Куляш Ахметова, — твердо произнесла девушка. — Сдайте оружие.

В ответ раздался веселый смех негодяев. Один из них шагнул вперед. У него были редкие крупные зубы, густая щетина и страшноватое грубое лицо. От него пахло чем-то острым и неприятным.

— Девочка, — убежденно сказал он, — ты напрасно вышла к нам. Я еще ни разу не был в связи с начальником городской милиции. Нужно будет попробовать.

Он протянул руку — и в этот момент прозвучал выстрел. Бандит согнулся и рухнул на тротуар, к ногам Куляш.

— Сдайте оружие, — сказала она, — но прежде посмотрите назад.

Изумленные бандиты оглянулись. За их спиной стоял Аслан, который уже успел перезарядить свое ружье. Именно он сделал последний выстрел. Аслан успел подняться в горы, передать сообщение с электростанции и вернуться оттуда с машиной и еще тремя вооруженными мужчинами. Эти четверо стояли прямо за спинами бандитов. Но, кроме этих четверых, за их спинами уже толпились сотни мужчин с ружьями, палками, гаечными ключами. Таксисты во главе с Абуталибом, врачи вместе с Касымом, охотники, пришедшие сюда по зову Казбека, даже кооператоры вместе с Тедо, захватив свои ножи и инструменты, явились к зданию городской милиции. Людей можно запугать, можно убить, можно унизить, но их нельзя победить, если они верят в свою правоту. И тогда даже безоружные и обреченные становятся сильнее своих мучителей. А здесь собрался весь город. Пришла старая Пакиза и суровая Сурия, пришла мудрая Хатира и все понявшая Марьям. Перед бандитами стоял весь город, несколько тысяч человек, и молчание людей было страшнее любого крика. Это был уже не прежний Город Заблудших Душ, а новый Город Обретенной Души. Словно подвиг сотрудников милиции немного изменил каждого из жителей города, сделал их чище и добрее, чем они были до этого. Ведь Добро и Зло обладают своей абсолютной энергией, меняя все вокруг там, где они себя проявляют.

Испуганные бандиты попятились, опасаясь, что их разорвут на куски.

— Вот и все, — сказал Аслан, — сдайте оружие новому начальнику городской милиции. И без глупостей.

Куляш счастливо улыбнулась.

ВМЕСТО ЭПИЛОГА

Через шесть месяцев Куляш Ахметова и старший сын сержанта Ризвана Максудова отправились учиться в университет, поступая по целевому направлению на юридический факультет. Салима вернулась к отцу и открыла небольшой магазин, в котором торгуют охотничьим товаром. Говорят, что туда часто заходит Аслан. Внешне он чем-то похож на своего двоюродного брата, и Салима благосклонно принимает его визиты. А старый Казбек просто помолодел от счастья сразу на десяток лет.

Веселина работает в школе буфетчицей. Дети от нее без ума. Она любит рассказывать разные смешные и страшные истории, но ее страшилки всегда забавные и поучительные. Ламия уехала в Дербент, где вышла замуж за местного начальника почты. Говорят, что у нее родились близнецы.

Лана Борисовна оставила свою высокую должность в мэрии и стала работать директором интернет-клуба. Говорят, что это один из самых интересных клубов в области. Тем более что он был переоборудован из бывшей гостиницы, когда-то названной «Мечта». А вице-мэром вместо нее стал молодой человек, племянник Абуталиба.

Эльбруса Казиева сняли с должности через несколько дней после войны в городе. Весь город знал, как трусливо и подло он вел себя во время нападения бандитов. Ему пришлось переехать в другое место, где он открыл свой бизнес. Говорят, что Казиев все равно процветает. А мэром города была избран врач Касым, который оказался порядочным и справедливым человеком. Иногда в жизни такое случается, но в последнее время очень редко.

Хатира стала заместителем главного врача и вырастила четверых мальчиков, каждый из которых стал настоящим мужчиной. Марьям не стала уезжать из города. Похоронив мать, она дождалась своей дочери, которая вернулась с мужем и детьми из Литвы, чтобы жить вместе с матерью. Зятя Марьям сделали новым начальником городской милиции. И хотя он говорил со смешным литовским акцентом, его уважали и даже побаивались за честность и принципиальность.

В чем-то Рашит оказался прав. Лайле дали по совокупности пожизненный срок, который был оставлен в силе и Верховным судом республики. Сам Рашит получил двенадцать лет и умер в тюрьме. Говорят, что он так и не раскаялся. Зато Караматдин вышел из тюрьмы через пять лет и открыл успешный бизнес, торгуя сосисками и колбасами в Пятигорске.

Самая невероятная история случилась с хромым Назаром. Он действительно вернулся к зданию милиции и стрелял в бандитов, пытаясь спасти своего друга. Когда граната, выпущенная из гранатомета, снесла половину здания, его оглушило и отбросило в сторону. Врачи чудом спасли ему жизнь, но левую руку все же пришлось ампутировать. Теперь он хромал на одну ногу и ходил без левой руки. В шутку его стали называть Половинкой-Назаром. Он не обижался, только смеялся в ответ. Зато в городе он превратился в живую легенду, и его часто приглашали в разные коллективы для выступлений. Закончилось это тем, что его сделали председателем совета ветеранов, где он в полную меру развернул свои организаторские способности.

Владлен Семенов получил два года условно и уехал из города. Говорят, что он вернулся к своей жене, но точно никто не знает.

Погибшим милиционерам поставили памятник на центральной площади. Всем троим. Они так и стоят все вместе, словно готовы снова защищать свой город. Рассказывают, что у памятника всегда лежат свежие цветы. Люди могут простить вам ваши недостатки, если поймут, что они всего лишь тень ваших достоинств. Подвигу милиционеров местные поэты посвящают стихи, а кто-то из писателей написал о них книгу. В этой книге четыре главных героя, по очереди в течение нескольких часов возглавлявших городскую милицию: мудрый Ильдус Сангеев, романтичный Альберт Орилин, смелый Ризван Максудов и отважная Куляш Ахметова. Говорят, что людям нравится эта книга, хотя все написанное в ней автором — абсолютная неправда. Но многим людям очень хочется верить в подобные сказки...

Дом одиноких сердец

(отрывок из романа)

«Как мы можем знать, что такое смерть, когда мы не знаем еще, что такое жизнь?»

Конфуций

«Вы будете всегда иметь такую мораль, которая соответствует вашим силам».

Фридрих Ницше

«Власта: Зачем сразу думать о самом плохом? Ведь все мы хотим, чтобы отец жил как можно дольше. Поэтому в нашем проекте предусмотрены альтернативы. В общем и целом это просто формальности — в нашей семье всегда все так или иначе принадлежало всем, — но мы живем в такое время, когда все, что угодно, может случиться, например, вступление в силу введения экзекутивного задержания личного имущества в случае подозрения в уклонении от расследования какого-нибудь подозрительного случая».

Вацлав Гавел
«Уход»

ГЛАВА 1

Он прилетел в Москву дождливым мартовским днем. В салоне бизнес-класса летели только четыре пассажира. Сказывался все еще не закончившийся кризис, слякотная погода, мартовская неопределенность первого квартала, после которого серьезные бизнесмены начинают сверять свои планы на год. Настроение у людей тоже было хмурым. Пожилой мужчина лет шестидесяти пяти почти все время дремал, отказавшись от еды. Женщина, которой было за пятьдесят, бодрствовала, все время читала журналы и газеты на разных языках, но от еды тоже отказалась. Третьим пассажиром был мужчина с типичным азиатским лицом, очевидно японец, который, напротив, с аппетитом пообедал и почти все время работал со своим ноутбуком. Самым грустным был четвертый пассажир — сам Дронго. Эта кличка, которую он взял много лет назад, теперь стала символом его успехов и неудач. Ему было уже под пятьдесят. Его внешний облик мало соответствовал имиджу одного из самых известных экспертов в мире по проблемам преступности. Он скорее был похож на бывшего оперативного сотрудника. Высокого роста, широкоплечий, подтянутый, он сразу выделялся в любой толпе. Внимательно приглядевшийся наблюдатель мог определить его профессию только по глазам — у бывших костоломов они не бывают столь вдумчивыми и умудренными. Внимательный, почти гипнотический взгляд черных глаз Дронго иногда завораживал его собеседников настолько, что они рассказывали даже то, чего им не хотелось рассказывать ни при каких обстоятельствах.

Он летел в Москву, уже зная, что его ждут новые дела и новые расследования. В аэропорту его привычно встречал Эдгар Вейдеманис, который приехал в Шереметьево на машине с водителем. После того как Дронго получил багаж, они прошли к автомобилю, устроились в салоне.

— Тебя ищут, — сразу сообщил Вейдеманис, как только они оказались в машине. По сложившейся традиции, они никогда не говорили о подобных вещах в зале прилета, где их могли услышать или прослушать. И вообще старались не разговаривать на подобные темы в людных местах. — Тебя ищут сразу два человека, — добавил Эдгар.

— Какая неожиданность, — вздохнул Дронго, — кому еще я могу понадобиться в эти пасмурные мартовские дни?

— Звонил Архипов. Это известный бизнесмен, владелец крупного пакета акций. Просит о срочной встрече. Его состояние оценивают в триста миллионов долларов.

— Чего он хочет? Ты хотя бы примерно знаешь?

— Конечно, знаю. Его сын уехал с какой-то девицей на курорт и загулял там. Об этом писали все газеты. Девица вернулась, а парня посадили в тюрьму за наркотики. Нашли в его чемодане при обыске. Он, конечно, сразу отказался, заявил, что подбросили. Но экспертиза установила, что он уже давно сидит на этих порошках. Хорошо, что это было не в Таиланде, иначе бы его сразу приговорили к смертной казни. А там, на Карибах, ему могут дать лет десять тюрьмы. Или меньше, если отец найдет хороших адвокатов.

— Понятно. При чем тут я?

— Архипов просит о срочной встрече. Считает, что его сына подставили. В газетах пишут, что сын — наркоман уже со стажем и у него были проблемы и с российскими властями, но отец упрямо не хочет в это верить.

— Какой отец хочет верить в такое, — поморщился Дронго, — его можно понять.

— Он хочет срочно с тобой встретиться, — повторил Эдгар, — очевидно, будет просить тебя отправиться туда и доказать, что его сын не мог хранить у себя кокаин. Дело тухлое и практически бесперспективное, но он как отец хватается за любую возможность. Ты меня слушаешь?

— Кто второй? — немного помолчав, спросил Дронго.

— Главный врач какой-то больницы, кажется, хосписа. Он вышел на нас через твоего знакомого — академика Бурлакова и тоже просит о срочной встрече. Бурлаков уверял его, что ты настоящий маг и волшебник. Такой современный Шерлок Холмс и Эркюль Пуаро в одном лице. Вот он и просит о встрече. Степанцев Федор Николаевич. Кажется, он прилетел из Санкт-Петербурга.

— А ему-то я зачем понадобился?

— Не знаю. Но он очень просил. Звонил вчера вечером, искал тебя. Говорит, что прилетел только на два дня в Москву и очень хочет тебя увидеть.

Дронго молчал. Он смотрел в окно на начавший накрапывать дождь и молчал. Эдгар взглянул на своего друга. Ему не нравилось его настроение. Вейдеманис выждал целую минуту, затем наконец сказал:

— Я думаю, что врачу мы не будем говорить о твоем приезде.

— Почему? — повернулся наконец Дронго. — Ты же говоришь, что его рекомендовал сам академик Бурлаков.

— Можно найти какой-нибудь удобный повод, чтобы отказать ему. А с Архиповым тебе нужно встретиться. Такой человек...

— Очень богатый, — задумчиво произнес Дронго, снова отворачиваясь.

— Он наверняка предложит тебе отправиться на Карибы, чтобы помочь его сыну. Нужно будет объяснить Архипову, что сыну понадобятся хорошие адвокаты. Но ты можешь отправиться туда и хотя бы попытаться помочь.

Дронго снова смотрел в окно.

— Если тебе неинтересно, я не буду говорить, — заметил Вейдеманис, — но учти...

— Эдгар, — перебил его Дронго, — твой западный рационализм начинает меня серьезно тревожить. Посмотри, во что мы превращаемся. Мы ведь с тобой профессионалы и понимаем, что сын Архипова наверняка хранил этот кокаин и дело действительно безнадежное. Тем более если экспертиза установила, что он наркоман со стажем. Но его отец богатый, очень богатый человек, и мы готовы с ним встретиться, чтобы взяться за это бесперспективное дело. Зачем? Для чего? Только для того, чтобы получить деньги у несчастного отца, занятого наживой больше, чем воспитанием собственного сына? Что с нами просходит? Где остались наши принципы, Эдгар?

— В той стране, которой уже нет, — мрачно ответил Вейдеманис, — если ты еще не забыл, то я в Латвии до сих пор нежелательный гость, ведь я был офицером Комитета государственной безопасности. Они не делают разницы между разведкой, в которой я служил, и контрразведкой, которая занималась диссидентами...

— Ими занималось Пятое управление, — добродушно поправил его Дронго.

— Им все равно. Сейчас другие времена. Кажется, ты любишь цитировать Лоуэлла, который говорил, что не меняются только «дураки и покойники». Я не хочу быть ни тем, ни другим.

— Там есть продолжение фразы: «И немногие порядочные люди...»

— «...которых с каждым днем становится все меньше и меньше», — закончил фразу Вейдеманис, — я тебе так скажу. Ты у нас главный мозг. Мы с Кружковым только твои помощники...

— Напарники...

— Помощники, которые готовы выполнять твои поручения. Как ты решишь, так и будет. Если считаешь, что не нужно встречаться с Архиповым, значит, пошлем его к черту. Если считаешь, что лучше встретиться с этим врачом из хосписа, давай встретимся с ним. В конце концов, ты уже заработал столько денег для всех нас, что имеешь право решать, с кем тебе встречаться или не встречаться.

— Будем считать, что во мне проснулась честь профессионала, — пробормотал Дронго, — я думаю, будет правильно, если мы сообщим Архипову, что я еще не прилетел. В конце концов, он хватается за нас как за последний шанс помочь своему сыну. А пользоваться такой возможностью, чтобы получить у него деньги даже на эту поездку, мне кажется непорядочным. Помнишь у Окуджавы: «Чувство собственного достоинства — удивительный элемент. Нарабатывается годами, а теряется в момент»?

— Столько лет тебя знаю и каждый раз удивляюсь, — усмехнулся Вейдеманис, — кто в наше время говорит о чести, собственном достоинстве или вообще употребляет такое слово, как «порядочность»? Кому это интересно? Ты рискуешь остаться последним романтиком среди детективов. Тебя уже давно нужно сдать в музей и показывать как удивительный раритет.

— Без лести, — погрозил ему пальцем Дронго, —

еще одно слово, и я соглашусь встретиться с Архиповым. В конце концов, он тоже несчастный человек, которому нужно помочь. Но помочь ему должны не детективы и не частные эксперты, а профессиональные адвокаты. Пусть пригласит опытных юристов из США или Франции.

— Адвокат из Америки обойдется ему в несколько миллионов долларов, — меланхолично заметил Вейдеманис, — твои услуги были бы дешевле.

— Пусть не экономит. Посоветуй ему сделать это немедленно. Речь идет о судьбе его сына. А мы с тобой встретимся с главным врачом этого хосписа. Ты знаешь, что такое хоспис?

— Примерно представляю. Когда у меня обнаружили онкологическое заболевание, я был уверен, что закончу свои дни именно в таком заведении. У моей семьи не было тогда денег даже на лечение меня от ангины. Если бы ты тогда не спас меня...

— Второе предупреждение. Ты приехал за мной в аэропорт, чтобы всю дорогу вспоминать о моем величии? Давай навсегда закроем эту тему. Ты спас себя сам. И сам сумел выжить, вопреки всему, вопреки прогнозам врачей. Ну, и удачная операция, которую тебе сделали, она прежде всего сыграла свою роль. Поэтому благодари врачей, а не меня. А хоспис действительно страшная штука, даже думать об этом учереждении страшно. Место, где доживают свои дни безнадежно больные люди. Можно придумывать массу всяких удобных выражений, но это именно такое заведение. И любой врач, который там работает, почти герой. А пациенты, которые там находятся, должны иметь своеобразное мужество. Ведь все мы все так или иначе приговорены к смерти. Только у некоторых есть отсрочка в двадцать, тридцать, пятьдесят, даже девяносто лет. А у некоторых срок исчисляется днями или неделями. Вот и вся разница.

— Ты вернулся каким-то странным, — заметил Вейдеманис, — что-нибудь случилось?

— Нет. Просто с годами я начинаю задумываться и о смысле нашего существования, и о бренности наших усилий. Столько лет занимаюсь поисками всякого рода мерзавцев и проходимцев и каждый раз удивляюсь, что их количество растет пропорционально росту человечества. Как будто есть некий заданный процент отрицательных персонажей, который не меняется. И не зависит ни от развития технологий, ни от расцвета науки. Как процент красивых женщин, гениев или кретинов. Так и процент мерзавцев. Пропорции остаются одинаковыми. Может, в этом заложен какой-то смысл? Некая стабилизирующая цивилизацию форма отношений? Как в живой природе, где есть хищники и есть жертвы. Кажется, хищников даже иногда называют «санитарами природы», они уничтожают слабых и больных. Может, и в нашем обществе действуют те же законы? Только там природа сама выступает в роли регулятора, а здесь получается, что мы с тобой невольно выступаем некими «регуляторами» цивилизации?

— Тогда давай поменяем профессию и станем адвокатами, — предложил Эдгар, — и будем защищать преступников. Ты считаешь, что будет лучше, если ты перестанешь разоблачать преступников всех мастей?

— В твоих словах чувствуется некоторое пренебрежение к адвокатам. А это ведь самая выдающаяся форма человеческих отношений, какую только выработала наша цивилизация. Возможность предоставить человеку профессиональную защиту от государства, от государственного обвинителя в судебном поединке — это безусловное достижение нашего мира. А насчет «регуляторов» я думаю, что, создав нас непохожими на других живых существ, Бог или природа разрешили нам создавать и некие правила внутри своих коллективов, которые не должны нарушаться ни при каких обстоятельствах. Когда тебе должен позвонить этот врач?

— Сегодня вечером.

— В таком случае давай с ним встретимся. Часов в восемь, если он сумеет приехать к этому времени. И будет лучше, если мы поговорим в нашем офисе, а не у меня дома.

— Мы так и сделаем, — согласился Вейдеманис, — я думал, что ты захочешь сегодня отдохнуть.

— Со мной не каждый день хочет встретиться главный врач из хосписа, — напомнил Дронго, — а насчет Архипова... Ты знаешь, я подумал, что неприлично отказывать человеку только потому, что у него много денег и он упустил своего сына. Таким образом сказывается наше предубеждение ко всем богатым людям. Это уже такой советский неизлечимый синдром. Все богатые — однозначно жулики.

— Можно подумать, что ты знаешь честных миллионеров в бывшем Советском Союзе, — пробормотал Вейдеманис.

— Вот-вот. Я же говорю, что это советский синдром «недобитых интеллигентов». Хотя какой ты интеллигент. Они бы тебе и руки не подали в те времена. Ведь ты был офицером такой ненавистной организации. А ты еще жалуешься на своих мирных латышей. Давай сделаем так. Я сам позвоню Архипову и постараюсь тактично объяснить ему, что там нужен хороший адвокат, а не частный детектив. И моя поездка не принесет такой пользы, как работа профессионального адвоката.

— Он решит, что ты сумасшедший. Отказываешься от его предложения.

— Он решит, что я порядочный человек, — возразил Дронго, — и как бизнесмен поймет, что я пытаюсь сохранить его деньги.

— Поступай как знаешь, — кивнул Эдгар. — Значит, сегодня в восемь часов вечера мы будем ждать Степанцева у себя?

— Да. И не забывай, что его рекомендовал сам Бурлаков. А академик не будет давать мой номер телефона кому попало. В этом я убежден.

Он замолчал и снова отвернулся. Машина затормозила у светафора.

— У тебя все в порядке? — неожиданно спросил Вейдеманис.

— Да, — ответил Дронго, глядя в окно, — все в идеальном порядке. За исключением того небольшого обстоятельства, что я начал задумываться над смыслом своей работы. Как ты думаешь, может, мне пора уходить «на пенсию»? Почти во всех странах мира именно в моем возрасте отправляют на пенсию комиссаров полиции и старых детективов.

— Именно в нашем возрасте человек становится мудрее, — возразил Эдгар, — опытные профессионалы работают консультантами, педагогами, руководителями разных курсов или просто советниками. Их нигде в мире не отпускают просто так. Ты это хотел услышать?

Дронго повернул голову и, улыбнувшись, взглянул на друга. Больше они не сказали ни слова, пока не доехали до дома.

ГЛАВА 2

Их небольшой офис располагался на проспекте Мира в Москве. Собственно, таких офисов было два. Один в Москве, другой в Баку. Оба небольшие, трехкомнатные, в одной из комнат был кабинет самого Дронго, другая служила кабинетом для его напарников, а третья комната была своеобразной приемной, где работала секретарь в те дни, когда самого эксперта не было в городе. Адреса офисов не афишировались и никогда не публиковались в открытой печати. О них знали только посвященные, которые появлялись здесь с ведома и согласия самого Дронго или его друзей. Ключи от московского офиса были только у двоих напарников — Эдгара Вейдеманиса и Леонида Кружкова, супруга которого числилась секретарем их небольшой компании. В отсутствие самого

Дронго и Эдгара супруги Кружковы получали почту и отвечали на письма, приходившие в последнее время больше по электронной почте. Но в момент появления посетителей никого из них здесь не бывало. Это делалось и для удобства самих супругов Кружковых, и в целях их безопасности, чтобы посторонний человек не смог бы их увидеть. Только Вейдеманис и сам Дронго принимали здесь своих гостей. В этот вечер сюда постучался Федор Николаевич Степанцев, главный врач хосписа, так настойчиво просивший об этой встрече.

Степанцев вошел, тщательно вытерев ноги о коврик. Снял свой плащ и шляпу, повесил их на вешалку. Ему было лет пятьдесят пять. Среднего роста, в очках, характерные для его возраста залысины, редкие седые волосы. Одет он был в довольно дорогой костюм, что сразу отметили оба эксперта. Галстук был подобран в тон голубой сорочке. Дорогая обувь дополняла его облик. Он взглянул на Вейдеманиса, который пригласил его пройти в кабинет. Дронго вышел из кабинета, чтобы поздороваться с гостем.

— Много о вас слышал, — начал гость, — позвольте представиться. Федор Николаевич Степанцев. Как мне к вам обращаться?

— Меня обычно называют Дронго, — услышал он в ответ.

— Что ж, известная кличка, — улыбнулся Федор

Николаевич, входя в кабинет, — вам нравится, когда вас называют именно так?

— Наверно, это уже привычка, — ответил Дронго, — судя по всему, вы не только онколог? Я угадал?

— Моя профессия подразумевает, что я обязан быть еще и психологом, — пояснил Степанцев, усаживаясь на стул, — особенно учитывая состояние некоторых больных. Вообще-то, я хирург, но практикую уже много лет. Простите, я представлял вас себе несколько иначе. Мне казалось, что вы старше и выглядите несколько по-другому.

— Я знаю, — кивнул Дронго, — обычно мы рассчитываем интеллект по формуле «разум минус физическое совершенство». Нам кажется, что любой интеллектуал, претендующий на некие возможности, должен обладать тщедушным телом и внешностью придавленного своими возможностями Знайки из Солнечного города. Помните, была такая замечательная книга про коротышек и Незнайку?

— Помню, конечно, — улыбнулся Степанцев, — сам читал ее в детстве. Сколько лет уже прошло. Не меньше полувека. А вы ее помните?

— Во всех подробностях. Носов написал прекрасные книги. Особенно про путешествие на Луну. Первые опыты общения с капиталистами. Он как будто чувствовал, что произойдет в конце двадцатого века, когда люди начнут миллионами превращаться в обычных животных, оглупляемых телевидением и журнально-газетным гламурным валом. Но не будем отвлекаться. Итак, вы хотели со мной встретиться и для этого даже попросили академика Бурлакова дать вам мой номер телефона. Я могу узнать, чем именно вызван такой интерес?

— Да, конечно. Я поэтому и решил приехать именно к вам, — вздохнул Степанцев. Он оглянулся на Вейдеманиса.

— Это мой напарник и друг Эдгар Вейдеманис, — сообщил Дронго, — в его присутствии вы можете говорить обо всем.

— Я понимаю. Конечно. — Федор Николаевич нахмурился, характерным жестом поправил очки. — Дело в том, что я не совсем уверен, — сказал он, — но решил, что будет лучше, если я с вами посоветуюсь.

— Что именно вас беспокоит?

— Меня привели к вам странные обстоятельства, если не сказать больше. Возможно, трагические. Наш хоспис находится в Николаевске, это недалеко от Санкт-Петербурга. Не совсем обычный хоспис, вернее, не такой, как остальные. Вы наверняка представляете, как работает хоспис?

— В общих чертах. Признаюсь, что я не бывал в подобных местах.

— Вам повезло, — пробормотал Степанцев, — туда попадают люди на последних стадиях своих заболеваний. Одним словом — безнадежно больные, те, кого уже нельзя спасти. Четвертая стадия, самая разрушительная. Некоторые попадают к нам в уже бессознательном состоянии. Некоторые еще могут позволить себе «роскошь» провести в нашем заведении несколько месяцев. Мы стараемся изо всех сил. Делаем все, чтобы облегчить их страдания. Иногда удается, иногда не очень. Иногда происходят срывы, в том числе и нервные. Иногда не выдерживает кто-то из персонала. Это тяжелая работа...

— Я был в лепрозории, — сказал Дронго, — там тоже нелегко. Но там хотя бы можно жить много лет. А в вашем заведении срок, очевидно, сильно сокращен...

— Вот именно. Больше года у нас никто не задерживается. Но я сказал, что у нас не совсем обычный хоспис. Дело в том, что наше учреждение создавалось как элитарный закрытый санаторий для сотрудников партийного аппарата. В восемьдесят пятом году было принято решение направлять сюда больных, которым уже нельзя было помочь, чтобы не травмировать остальных. На Каширке тогда создавался крупный онкологический центр, но он занимался лечением больных, а у нас был такой санаторий для самых безнадежных. Разумеется, тогда его никто не называл хосписом. Потом были девяностые, обычная разруха, все разворовали, унесли, санаторий даже успели приватизировать. Там большой участок земли, рядом подсобное хозяйство, лес, речка, чудесные места. Но хозяева оказались никудышные, основное здание было в таком ужасном состоянии, что требовался капитальный ремонт.

В девяносто девятом его выкупила администрация области, но ничего не успела сделать. Через несколько лет двое не самых бедных людей решили возродить санаторий. У одного из них была безнадежно больна супруга, а у другого скончалась мать. Они вложили довольно приличную сумму и отремонтировали наше здание. Между прочим, супруга, о которой я говорил, потом прожила в нашем хосписе целых восемь месяцев. Пять лет назад было принято решение о том, что создается попечительский совет из руководителей и крупных бизнесменов области. Сделали еще один ремонт, завезли новую технику, оборудование, а мне предложили стать главным врачом. Я тогда работал в облздраве. Должен сказать, что оклад мне предложили очень приличный, и я согласился. Тем более что от города до Николаевска ехать полтора часа по хорошей дороге. Рядом строят какой-то автомобильный завод, и к нам проложили очень приличную дорогу. И с тех пор попечительский совет помогает нашему хоспису, выделяя довольно впечатляющие суммы для его функционирования. Но и попасть к нам может не всякий, а только по рекомендации членов нашего совета. И даже в этих случаях родственники наших пациентов переводят довольно крупную сумму на их содержание...

— Хоспис для богатых людей, — нахмурился Дронго.

— Не для бедных, — кивнул Степанцев, — я хотел, чтобы именно в этом вопросе вы меня правильно поняли.

— Я полагал, что хосписы создаются для помощи людям, которые нуждаются в таких заведениях...

— Правильно полагали. Но среди заболевших бывают и весьма обеспеченные люди. Родные и близкие не могут или не хотят видеть их страданий, да и сами больные не всегда готовы публично демонстрировать свое состояние, подвергая нелегким испытаниям своих детей или внуков. Поэтому они предпочитают переехать к нам. У нас приличный уход и достойные условия. А родственники могут навещать их, у нас нет никаких ограничений, хотя, исходя из моего опыта, могу сказать, что такие встречи бывают тягостными для обеих сторон.

— Понимаю, — кивнул Дронго, — это действительно тяжкое зрелище. Но мне пока не совсем понятна причина, по которой вы решили так срочно со мной встретиться.

— Я вам скажу, — сообщил Федор Николаевич, — дело в том, что в нашем хосписе произошло убийство...

Наступило неприятное молчание. Вейдеманис грустно усмехнулся. Дронго мрачно взглянул на гостя.

— Убийство в хосписе? Убили кого-то из персонала?

— Нет. Нашего пациента. Точнее — пациентку.

— Простите, я не совсем вас понимаю. Вы сказали, что у вас находятся только безнадежно больные. Четвертая стадия. Правильно я вас понял?

— Да, только так. Именно безнадежно больные.

— И кто-то убил вашу пациентку, которая все равно должна была умереть через несколько дней? — уточнил Дронго, взглянув на Вейдеманиса. У того было непроницаемое лицо.

— Да, — кивнул Степанцев, — именно поэтому я и пришел к вам. Это была наша пациентка. Боровкова Генриетта Андреевна. Может, вы слышали о ней? В семидесятые годы она была даже заместителем председателя Ленгорсовета. Уникальная старуха. Ей было уже под восемьдесят, и в этом возрасте болезни протекают очень вяло. Не так, как в молодости. Мы считали, что она в довольно тяжелом, но стабильном состоянии, и не подключали ее к аппаратуре. Хотя она лежала в реанимационной палате. Наш дежурный врач вечером обходил все палаты и ничего странного не обнаружил. А утром мы нашли ее мертвой.

— Как ее убили?

— Мы сначала даже ничего не поняли. Решили, что она умерла во сне. Ведь у нее были метастазы по всему телу. У нее обнаружили еще лет пятнадцать назад опухоль в груди. Сначала пробовали обычные методы, она даже ездила куда-то в Германию. Потом выяснилось, что химиотерапия ей не помогает. Через несколько лет пришлось пойти на операцию. Ей удалили левую грудь, но было уже поздно. Она прибыла к нам три месяца назад в уже безнадежном состоянии. Наш дежурный врач был убежден, что она умерла именно из-за этого. Должен сказать, что у нас нет морга в привычном понимании этого слова. Наш патологоанатом давно уволился, и не всякий соглашается работать на его месте. Да он нам и не очень нужен, ведь причины смерти всегда настолько очевидные, что мы стараемся щадить чувства родственников и выдаем им тела без обычного вскрытия. В данном случае дежурный врач констатировал смерть, тело увезли в наш «холодильник», как мы его называем. И перед тем как выдать его родственникам, они должны были получить мою подпись. Обычная формальность. Справки подписывает сам главный врач. И я всегда их подписываю. А здесь решил посмотреть...

Степанцев тяжело вздохнул, снова поправил очки.

— Не знаю, почему. Может, потому, что она всех доставала своими глупыми придирками, особенно меня. В общем, я решил сам посмотреть. Забыл вам сказать, что в молодости я работал с сотрудниками милиции, — пояснил он, — дежурил с ними по ночам и знаю, как выглядят задушенные люди. Как только я увидел лицо покойной, так сразу и подумал, что это не метастазы. Я отложил выдачу тела и отправил его в город на экспертизу. Если бы вы знали, как меня ругали родственники Боровковой, которые приехали забирать ее! Они даже пожаловались губернатору. Но я настаивал на своем. В морге тоже не хотели возиться с телом из хосписа. Любой врач, который имел хотя бы небольшую квалификацию, сразу понимал, чем именно она страдала и от чего могла умереть. Достаточно было посмотреть на последствия химиотерапии, она носила парик, и увидеть следы после операции. Да еще в ее истории болезни было написано столько ужасов... Тело продержали в морге два дня. Но я продолжал настаивать. Мне выдали официальный документ, что она умерла от метастазов, поразивших ее тело. Но даже после этого я попросил руководителя лаборатории самому проверить мою версию. К этому времени уже была объявлена дата официальных похорон, куда должно было приехать руководство города и области. Даже наши сотрудники считали, что я просто сошел с ума и испытывал к погибшей личную неприязнь. В одной из местных газет написали, что главный врач одной из больниц не дает похоронить свою бывшую пациентку и издевается над ее телом даже после смерти, имея в виду именно меня.

Тогда я сам поехал в лабораторию и попросил

Михаила Соломоновича Глейзера посмотреть на тело, перед тем как его выдать. Михаил Соломонович работает патологоанатомом уже сорок пять лет. Ошибиться он не мог. Но к этому времени в дело вмешалась сама губернатор области. Тело приказали немедленно выдать и похоронить. Глейзер человек очень опытный и умный. Он подписал все необходимые документы и распорядился выдать тело. Но перед этим как настоящий врач успел зайти и посмотреть на нее лично. Однако не стал возражать, когда приехавшая делегация забрала тело. Похороны показали даже по местному телевидению. Я не решился пойти туда, чтобы меня просто не линчевали. Все говорили о том, какой я негодяй. А на следующий день мне позвонил Михаил Соломонович.

Когда мы с ним встретились, он признался, что моя версия имеет гораздо больше оснований, чем заключение его сотрудника. Тот просто отписался, даже не проведя положенного вскрытия. На мой вопрос, почему он не остановил выдачу тела и не опротестовал решение своего коллеги, он грустно ответил, что ему позвонили сверху и приказали немедленно выдать тело. Вы знаете, что он мне сказал? Вы даже не поверите.

— Мой отец Соломон Борисович Глейзер был арестован в сорок девятом году только потому, что отказался подписать липовый акт о смерти забитого на допросе заключенного, бывшего партийного чиновника, которых арестовывали в Ленинграде по известному делу Вознесенского-Кузнецова. И семь лет отец провел в лагерях. От меня потребовали на комсомольском собрании отречься от него. Я отказался отрекаться, просто не мог предать своего отца. Тогда меня исключили из комсомола и выгнали из школы. Мне пришлось пойти работать и учиться в вечерней школе. Спустя полвека история повторяется уже не в виде такой трагедии. Но и не в виде фарса. Мою дочь должны утвердить главным врачом четвертой поликлиники. Документы находятся на рассмотрении в администрации губернатора. И если в этот момент я начну настаивать на вашей версии и сорву официальные похороны, на которые должны приехать ответственные московские чиновники, то моя дочь никогда не получит этой должности. И будет помнить об этом всю жизнь. Я никогда не обвинял своего отца. Но как поведет себя моя дочь? Или мой зять, ее муж? У них и без меня хватает своих проблем. Я не хотел об этом даже думать. Как, вы считаете, я должен был поступить? Ведь с телом все равно ничего не будет, и мы при желании можем добиться эксгумации по вновь открывшимся обстоятельствам уже после того, как все несколько уляжется.

— Его можно понять, — заметил Дронго, — этот страх уже генетически сидит в людях, чьи родные и близкие подверглись репрессиям. Я до сих пор не могу понять, как можно было делать героя из Павлика Морозова, предавшего собственного отца. Или требовать от комсомольцев выступать на собраниях с осуждением собственных родителей. Наверно, пройдя через подобное чистилище, нельзя оставаться прежним человеком.

— Не знаю, я тогда не жил. Трудно сказать, как бы мы с вами поступили в то время, — признался Степанцев, — возможно, также осуждали бы родителей или позволили бы исключить нас из комсомола за наше нежелание предавать собственных отцов. Но я понимаю мотивы Михаила Соломоновича. И не осуждаю его. Однако теперь я был точно уверен, что ее задушили. Сначала я решил обратиться в милицию, но затем передумал. Ведь я обязан буду официально заявить о случившемся в нашем хосписе. Что тогда произойдет? Во-первых, меня накажут за случившееся, если даже сразу не снимут с работы. Во-вторых, начнется скандал с эксгумацией трупа, меня тут же обвинят в том, что я не хочу оставить ее в покое после смерти. Не скрою, она была конфликтным человеком и у нас происходили различные стычки, что сразу используют против меня. И, наконец, в-третьих, нет никаких доказательств. Есть официальный документ о ее смерти, который подписан мною и заверен Глейзером. Нам просто не поверят или обвинят в должностном подлоге. Еще неизвестно, что хуже. Поэтому я решил обратиться именно к вам. Возможно, вы сумеете мне помочь. И уже тогда, опираясь на результаты вашего расследования, я потребую официального возбуждения уголовного дела.

Дронго взглянул на Вейдеманиса. Тот молча пожал плечами. Такого необычного дела у них никогда еще не было.

— Если бы не ее неожиданная смерть, — уточнил Дронго, — когда она могла умереть? Назовите самый крайний срок.

— Две или три недели. Хотя иногда случаются чудеса. Но в ее случае... Две недели, не больше. Она уже начинала заговариваться.

— У вас могли быть посторонние в помещении в ту ночь, когда она умерла? Или была убита.

— Нет. У нас на улице повсюду установлены камеры. Для наблюдения за больными, если они выйдут погулять в сад. Но в здании камер нет. Считается неэтичным подглядывать за больными. Хотя я просил несколько раз установить камеры и в каждой палате. Да и больных у нас не так много. В ту ночь почти никого из персонала не было. Именно это беспокоит меня больше всего. Почему ее убили и кто это мог сделать?

— Полагаю, что первый вопрос самый важный. Причина? Кому понадобилось убивать человека, и так приговоренного к смерти? Если мы будем знать ответ на этот вопрос, то найдем ответы и на все остальные, — сказал Дронго.

— Я понимаю, что вы частный эксперт, — пробормотал, явно смущаясь, Степанцев, — и если вы согласитесь... Я готов оплатить вам ваши расходы...

— Господин Степанцев, — поднялся со своего места Дронго, — должен вам заметить, что своих обидчиков я легко спускаю с лестницы. И только из уважения к вашей профессии и вашей нелегкой работе я не считаю ваши слова оскорблением. Надеюсь, вы понимаете, что я не могу брать деньги за работу в хосписе. Когда вы уезжаете обратно?

— Завтра утром. У меня самолет на Санкт-Петербург.

— Я предпочитаю ездить поездом. Завтра вечером мы будем у вас. Надеюсь, что до этого времени у вас не произойдет ничего страшного.

ГЛАВА 3

Степанцев согласно кивнул. Было заметно, как он нервничает. Эдгар налил ему стакан воды, и врач залпом выпил ее. Поблагодарил, возвращая стакан.

— У нас элитарный хоспис, — криво улыбнулся гость, — вы понимаете, что и пациенты не совсем обычные, да и зарплата у меня на порядок выше, чем у остальных главных врачей. Поэтому охотников на мое место хватает. Достаточно только один раз ошибиться...

— Я вас понимаю. У вас много пациентов?

— Нет. Не каждый может к нам попасть. В ту ночь было четырнадцать человек больных. Из них пятеро тяжелых. Они не могли самостоятельно передвигаться. Остаются девять человек.

— Тоже больных?

— Да. Но для того, чтобы накрыть

беспомощную старуху подушкой, много сил и не требуется.

— У вас большой персонал?

— Двадцать семь человек, включая меня.

— Не слишком ли много на четырнадцать больных?

— Нет. Обычная практика. У нас после дежурства врачи должны сутки отдыхать. Как минимум. Такое зрелище не для слабонервных, некоторые не выдерживают. Кроме того, у нас свое подсобное хозяйство, два водителя, повара, санитарки, нянечки, сторожа.

— И сколько человек работали в ту ночь?

— Четверо. Дежурный врач, сторож, две санитарки. Больше никого. Последним уехал я со своим водителем. Потом ворота закрылись. Двери обычно тоже закрываются, чтобы никто не беспокоил наших пациентов. На окнах решетки. Управление МЧС уже дважды присылало нам свои предписания, чтобы мы сняли решетки, но мы их не снимаем. У нас очень хорошая противопожарная система, везде установлены датчики, в случае необходимости сработает автоматика, и вода потушит любой пожар. Здание двухэтажное, и все палаты находятся на первом этаже. А все административные помещения на втором. И реанимационные палаты для тех, кто уже не в состоянии двигаться. Для перевозки больных у нас есть даже лифт в нашем основном здании.

— Есть и другие здания?

— Конечно. Еще два здания примыкают к нашему. В одном — наш «холодильник», куда мы отправляем пациентов, перед тем как выдать их родственникам. В другом — наш разделочный цех. У нас там своя живность. Курицы, утки, даже своя корова есть. Сторожа за ними следят. Там есть и для них помещение.

— Значит, сторож не может войти ночью в основное здание?

— Теоретически нет. Они никогда не заходят. Но практически, конечно, мог. У наших сторожей есть свои запасные ключи от дверей. Однако я не помню ни одного случая, чтобы они появлялись у нас после отбоя, если их специально не вызывали. Сторожа нормальные люди и понимают, какие пациенты находятся в нашем хосписе.

— Сколько у вас врачей?

— Восемь человек. Я и мой заместитель освобождены от дежурства. Остальные дежурят по очереди. Четыре женщины и двое мужчин. Один из них наш ведущий специалист — Сурен Арамович Мирзоян, он как раз специалист в области онкологии, и я разрешаю ему консультировать и в больнице Николаевска. Очень толковый специалист. Но в ту ночь был другой врач. Алексей Мокрушкин. Такая немного смешная фамилия. Он самый молодой среди нас. Ему только двадцать девять. В Николаевске у него живет семья, и поэтому он охотно пошел к нам на работу.

— Давно работает?

— Уже второй год. Хороший парень, звезд с неба, конечно, не хватает. В семнадцать закончил школу и ушел в армию. В девятнадцать вернулся. Пытался поступить в институт, ничего не получилось. На следующий год опять не вышло. Только с третьей попытки поступил, да и то в какой-то провинциальный медицинский институт в Челябинске. Кажется, там у него работала тетка. Проучился шесть лет и приехал сюда. Работал в больнице Николаевска на полставки. А у него семья, маленький ребенок. В общем, попав к нам, был счастлив, как никогда, зарплата выросла сразу в четыре раза. Он, конечно, не самый опытный врач, но у него есть терпение, которого часто не хватает другим. В армии он тоже работал в санитарной службе, поэтому решил поступать в медицинский.

— Ясно. А ваш сторож?

— Асхат Тагиров. Он татарин. Ему уже за пятьдесят. Раньше у нас было три сторожа, но один уволился и уехал куда-то на Украину. Или, как сейчас принято говорить, «в Украину». А Асхат остался. Он работает на пару вместе с другим сторожем — Савелием Колядко. И получают они соответственно по полтора оклада. Их это устраивает. Нас тоже, не нужно искать чужих людей. Оба сторожа люди надежные, работают у нас уже давно. Следят за «зоопарком», как мы называем нашу живность. Савелий женат, у него дочь и двое внуков. А у Асхата жена умерла несколько лет назад, а сын живет где-то в Казани. Поэтому он один, и ему даже удобнее все время быть у нас, вместе с людьми. Он тоже живет в Николаевске.

— И две ваши санитарки?

— Одна нянечка, другая санитарка. Хотя обе числятся санитарками. Там оклад немного разный. Старшая — Клавдия Антоновна Димина, она у нас уже лет тридцать, еще до меня работала. Ей уже под шестьдесят. Очень толковая женщина, на нее можно положиться. Я обычно оставлял ее в паре с Мокрушкиным, чтобы она ему помогла в случае необходимости. Она как бы считается нашей главной санитаркой. А еще молодая — Зинаида Вутко. Она тоже местная, работает у нас только четыре месяца. Ей около тридцати, раньше работала в поликлинике, но там оклад небольшой. Разведена, воспитывает сына. Он уже школьник. Когда у нас освободилось место, Клавдия Антоновна предложила мне взять эту молодую женщину. Я побеседовал с ней и согласился. Она весьма дисциплинированная и энергичная молодая женщина. У нас ведь работа тяжелая, приходится убирать за больными, ухаживать за ними.

— Четверо сотрудников вашей больницы, — подвел итог Дронго, — но вы сказали, что в эту ночь было четырнадцать больных?

— Пятерых можете смело отбросить, — сразу ответил Степанцев, — они просто не смогли бы самостоятельно подняться. Двое вообще были подключены к аппаратуре искусственного дыхания. Поэтому пятерых нужно убрать. Остаются девять человек. И все девять — тяжелобольные пациенты, каждому из которых осталось жить не больше нескольких месяцев. Некоторым и того меньше.

— У вас с собой список этих пациентов? — уточнил Дронго, — давайте вместе его просмотрим.

— С чего вы взяли? — удивился Степанцев. — Почему вы так решили?

— Разве он не лежит у вас в кармане?

— Верно. Он действительно у меня с собой. Но как вы догадались?

— Вы ведь решили со мной встретиться еще несколько дней назад, — пояснил Дронго, — значит, готовились к этой встрече, пытались анализировать, кто из ваших пациентов или сотрудников мог совершить подобное преступление. Судя по тому, как вы точно знаете, что Мокрушкин учился в Челябинске, а сын Асхата Тагирова живет в Казани, вы анализировали этот список долго и тщательно, пытаясь понять, кто из них может быть главным подозреваемым.

— Все правильно, — несколько озадаченно кивнул Федор Николаевич, — я действительно пытался сам определить, кто мог совершить такой дикий поступок.

— Преступление, — поправил его Дронго, — если даже она умерла за минуту до своей естественной смерти, то это называется особо тяжким преступлением. Во всем мире.

— Да, наверно. Но непонятно, кому и зачем это было нужно.

— Вернемся к вашим пациентам. Значит, четырнадцать человек? Молодые среди них есть?

— Трое, — ответил Степанцев, — иногда эта болезнь не щадит и детей. У нас всего пять пациентов до пятидесяти лет. Мы считаем их молодыми. Но двое уже не могут самостоятельно ходить, один уже при смерти, остались буквально считаные часы. Вторая женщина под капельницей. Она тоже не смогла бы подняться. Значит, они отпадают. Остаются трое, о которых я говорил. Две женщины — Эльза Витицкая и Антонина Кравчук. И мужчина — Радомир Бажич.

— Он серб или хорват? — уточнил Дронго.

— Нет, кажется, он из Македонии. Вернее, его отец из Македонии, а мать из Белоруссии. Мы потом уточнили, у них в семье наследственные патологии. Отец и дед умерли от схожей болезни в сорок пять и сорок семь лет. У них редкое заболевание мозга. Операции делать бесполезно, можно повредить структуру личности, а химиотерапия в таких случаях просто опасна. Мы можем только помочь, облегчить страдание. Но он еще в состоянии двигаться и говорить. Хотя понятно, что срыв может произойти в любой день.

— Сколько у него времени?

— Месяц, от силы два. Боли уже начались, мы постепенно делаем ему уколы успокоительного, каждый раз немного увеличивая дозу.

— Простите за дилетантский вопрос. Никто из ваших пациентов не мог совершить преступление, находясь в стадии невменяемости? После ваших препаратов может наступить такая реакция?

— Нет. Абсолютно исключено. Мы не даем подобных возбуждающих средств. У нас и так люди находятся под диким стрессом, любой подобный препарат может вызвать просто неуправляемую реакцию. Вы можете себе представить, что многие из них, даже в таком положении, надеются на чудо?

— Такова человеческая природа. Вы сказали, что две женщины еще молоды.

— Да. У Антонины проблемы с кожей. Уже появились характерные симптомы, указывающие на последнюю стадию. У Эльзы неоперабельная онкология груди.

— Как вы все это выносите, — вырвалось у Дронго, — нужно обладать большим запасом оптимизма, чтобы работать в вашем заведении.

— Это моя работа, — вздохнул Степанцев, — только в отличие от других больниц в нашей не бывает выздоравливающих.

— Никогда?

— Кроме одного случая. На моей памяти случился только один. Пациентку привезли с подозрением на четвертую стадию. Анализы подтвердили самые худшие опасения. Но она неожиданно начала выздоравливать. Я до сих пор считаю, что тогда произошла просто врачебная ошибка в ее диагностике. Но вся загадка в том, что я ее сам осматривал и тоже был убежден в правильности диагноза. Она выписалась через два месяца и уехала. А нам на память оставила иконку, перед которой все время молилась. Я не очень верующий человек в силу моей профессии. Трудно увидеть душу там, где так страдает тело. Но в тот момент, признаюсь, что я заколебался. Вот это единственный случай. Но такие парадоксы случаются, когда речь идет о поджелудочной железе. Сложно диагностировать правильно, еще сложнее вовремя начать лечение. В советское время Чазов ввел диспансеризацию для всех ответственных партийных работников. До сих пор вспоминают, что смертность от сердечно-сосудистых и онкологических заболеваний снизилась тогда в разы. Сейчас этого нет, и больного привозят к нам уже в крайне тяжелом состоянии.

— Чем занимались все трое до того, как попали к вам?

— Радомир работал ведущим специалистом. Кажется, в филиале известной немецкой компании. Они перевели нам деньги за его лечение. Витицкая была ведущей на телевидении. В Новгороде. Очень эффектная женщина, нравилась мужчинам. Была трижды замужем, но детей не было. А вот у Антонины Кравчук в ее сорок четыре года уже трое взрослых девочек. Муж — состоятельный бизнесмен, и она сама настояла, чтобы переехать сюда и не травмировать своих дочек. Старшей уже двадцать два года. Насколько я понял, у нее уже есть жених. И мать не захотела, чтобы ее видели в таком состоянии. Особенно жених ее дочери. Да и остальным она была бы в тягость. Вы можете себе представить, какие изменения бывают при ее болезни?

— Не нужно рассказывать, — попросил Дронго, — я все равно завтра к вам приеду. Понимаю, насколько трагичными могут быть истории каждого из ваших пациентов. Сейчас я думаю, что любые деньги, которые вам могут платить, слишком малая плата за то, что вы видите.

— Вы же сказали, что были в лепрозории, — напомнил Степанцев, — разве работать с прокаженными легче? Или в сумасшедшем доме, где ваш пациент может выкинуть все, что угодно? В любой сельской больнице в течение года происходит столько непредвиденных и малосимпатичных событий, что можно было снять целый сериал. Страшный и откровенный одновременно.

— Поэтому я всегда относился с особым пиететом к представителям вашей профессии, — признался Дронго. — Давайте дальше. Остается еще шесть человек.

— Двое мужчин и четверо женщин, — сказал, доставая свой список, Степанцев, — мужчины — Арсений Угрюмов и Константин Мишенин. Женщины — Марина Шаблинская, Елена Ярушкина, Казимира Желтович и Тамара Забелло.

— У вас там указаны их бывшие профессии?

— Конечно. Угрюмов работал на Севере, ему уже пятьдесят четыре года. Известная российская нефтяная компания. Они его к нам и определили. Типичный синдром, больная печень. Там, на Севере, иначе просто не выжить. Некоторым удается вовремя остановиться. Ему не удалось. Он перенес желтуху уже в подростковом возрасте. И это дало свои рецедивы. Ему просто нельзя было так злоупотреблять алкоголем, но он уверял меня, что иначе там просто не выжить. Я думаю, что он говорил правду. Константин Мишенин был акционером компании, занимавшейся переработкой леса. Входил в состав директоров компании. Ему уже пятьдесят девять. Вполне обеспеченный человек. У него проблемы с почками. Одну уже удалили, но, судя по всему, вторая тоже поражена. Первую операцию делали в Великобритании два года назад. Тогда ему сказали, что у него есть все шансы на выздоровление. Но сейчас начала отказывать вторая почка. Так иногда случается, болезнь словно переходит на вторую почку, и остановить ее практически невозможно. Он сам понимает, что помочь ему уже нельзя. Даже иногда шутит по этому поводу.

— Они находятся... как-то вместе?

— Мишенин с Бажичем, а Угрюмов сейчас один. Его напарника перевели в реанимацию, он совсем плох. Это тот, о котором я говорил. Он при смерти, и я думаю, что речь идет уже о последних часах. Но у нас на первом этаже еще шесть женщин. Две, о которых я говорил. Они как раз вместе. Им так удобнее. Витицкая и Кравчук. Общие интересы, общие разговоры. И еще — четверо других женщин. Шаблинская бывшая балерина, прима Мариинки, блистала в семидесятые годы. Говорят, что была протеже самого первого секретаря обкома. Возможно, это слухи, сейчас ей уже под семьдесят. Старается держаться, но знает свой диагноз. У нее проблемы с кишечником, уже дважды вырезали, но в последней стадии нельзя ничем помочь. Я думаю, что ее погубили все эти новомодные диеты. Говорят, что она танцевала почти до сорока пяти лет. Вторая — Елена Геннадьевна Ярушкина, супруга бывшего министра Павла Ярушкина. Был такой министр общего машиностроения, известный генерал, академик, лауреат. Он давно умер, но остались родственники и друзья, которые и определили ее к нам. Она находится в одной палате с Шаблинской, и, кажется, они были знакомы и раньше.

Следующая — Казимира Желтович, ей уже далеко за восемьдесят. Возможно, она наш самый почетный «долгожитель». В ее возрасте все процессы происходят гораздо медленнее, и у нее есть все шансы провести у нас еще целый год. Или немногим меньше. Ее внучка — супруга нашего вице-губернатора, вот она ее к нам и определила. Казимира Станиславовна раньше лежала в палате с Идрисовой. Это женщина, которая сейчас лежит под капельницей. Ей совсем плохо. А саму Желтович мы перевели в другую палату. Хотя ей это было не очень приятно. Да и соседка ее была недовольна. А соседка ее как раз четвертая женщина из тех, о которых я хотел вам рассказать. Раньше она оставалась с Генриеттой Андреевной. Они тоже были знакомы по прежней работе. Сама Тамара Рудольфовна Забелло, бывший директор текстильной фабрики, легендарная женщина, Герой Социалистического Труда. Она сама переехала к нам, решив не беспокоить своего сына и внуков. У нее рак крови. В ее состоянии нужно проводить систематическое переливание крови. Раньше это как-то помогало, но в последнее время организм уже не справляется. Мужественная женщина.

Вот, собственно, и все. Только эти девять человек и четверо из нашего персонала могли ночью войти в палату Боровковой.

— Ваши больные спят в палатах по двое?

— На первом этаже да. Но самые тяжелые — уже на втором этаже, по одному. В реанимации. Нельзя, чтобы другие видели, как они уходят. Это зрелище только для наших глаз.

— Значит, погибшая была одна?

— Да, в палате реанимации на втором этаже. Все знают, что если переводят на второй этаж, значит, положение совсем отчаянное. Они даже шутят, что пациентов отправляют наверх постепенно, сначала на второй, а потом на небо. Вот такие горькие шутки. Боровкова была на втором этаже. В соседнем кабинете находился наш дежурный врач, но он ничего не слышал. У больных есть кнопка срочного вызова. У всех больных. И этот сигнал идет и в комнату врача, и в комнату санитарок. Кроме того, наши санитарки обходят всех пациентов каждую ночь несколько раз. Это обязательное правило.

— А заснуть они не могли?

— Все трое? Нет, не могли. Мокрушкин очень ответственно относится к своей работе. Я даже представить не могу, что он мог бы уснуть во время дежурства. А Клавдия Антоновна вообще очень дисциплинированный человек. Нет-нет, это исключено.

— И никто ничего не слышал?

— Я разговаривал с каждым. Никто ничего не слышал.

— Вы объяснили им, почему задаете такие странные вопросы?

— Нет. Они знают, что меня интересуют все мелочи, все происходящее в нашем хосписе. Иначе нельзя. Я ведь не просто главный врач нашего учреждения. Я одновременно директор и руководитель, который отвечает за все, что у нас происходит.

— У вас есть свой завхоз?

— Конечно, есть. Кирилл Евсеев. Он — моя правая рука, даже больше, чем заместитель.

— А кто ваш заместитель?

— Светлана Тимофеевна Клинкевич. Она работает у нас только с прошлого года. Ее супруг — один из руководителей облздрава.

Он сказал это ровным и спокойным голосом, но что-то заставило Дронго насторожиться.

— Сколько ей лет?

— Тридцать шесть. Молодой и перспективный кандидат наук, — сказал с явной иронией Степанцев, — представьте себе, сегодня в хоспис идут даже ученые.

— Она живет в Николаевске?

— Нет. В самом центре Санкт-Петербурга. И служебная машина супруга каждый рабочий день привозит и увозит ее обратно. Можете сами подсчитать, сколько бензина уходит на такую дорогу.

— Вы говорили, что у вас удобная дорога, — напомнил Дронго.

— И поэтому сюда можно гонять служебную машину?

— Но вы тоже ездите туда на своей служебной машине.

— Которая принадлежит нашему хоспису, — вспыхнул Степанцев.

— Кандидат на ваше место, — все понял Дронго.

— Очевидно, — кивнул Федор Николаевич, — она считает, что так быстрее сделает карьеру. Она думает о своей карьере, а я думаю о своем учреждении. И все, что она делает или сделает, будет лишь для показухи и выдвижения. Но разве в наши дни кто-нибудь интересуется такими «мелочами»?

— Это через нее узнали о смерти Боровиковой?

— Безусловно. И она организовала утечку информации в прессу о таком чудовищном вампире, как я. В общем, все понятно. Обычные интриги на работе. У нас большой бюджет, есть много поводов для организации проверок. Особенно когда твой муж работает первым заместителем руководителя облздрава. С ее приходом наш коллектив начало лихорадить. Раньше никогда такого не было. Но это тоже нужно пережить. Я надеюсь, что ее уберут наверх, минуя мою должность.

— Даже в таком заведении, как ваше, есть свои внутренние интриги, — понял Дронго.

— А где их нет? Люди не меняются. Их вообще невозможно изменить. Поэтому я такой убежденный атеист. Людей не пугают даже возможные адские муки. И в раю, и в аду они будут вести себя так же, как и здесь. Абсолютно одинаково. Поместите группу людей в замкнутое пространство, и там начнут проявляться все их лучшие и худшие качества. С космонавтами работают опытные психологи, а когда этого нет, получается обычный коллектив со своими нравами и сварами. Знаете, что самое смешное? Если мой заместитель узнает о том, что Боровкова умерла не своей смертью, она обвинит в этом именно меня. Не в убийстве, конечно, а в сокрытии этого преступления. И никто даже не вспомнит, что именно она и организовала через своего супруга эту гнусную статью против меня, и настроила губернатора, чтобы как можно быстрее похоронить нашу пациентку. Поэтому я буду просить вас работать так, чтобы наши сотрудники ничего не поняли. Иначе вам просто не дадут работать. А меня отстранят от должности до завершения расследования. Вот теперь у меня все.

— Мое появление сложно будет скрыть от коллектива. Мне нужно беседовать с вашими сотрудниками и пациентами. Иначе я ничего не узнаю.

— Я об этом подумал. Учитывая вашу внешность восточного человека, мы выдадим вас за специалиста из Башкирии. Тогда все поверят, что вы приехали именно оттуда.

— Почему из Башкирии?

— У нас в прошлом году был пациент, дядя премьер-министра Башкирии. Племянник приезжал лично навестить своего дядю. Вы, наверно, знаете, что на Востоке не принято сдавать родственников в хоспис, как бы сильно они ни болели. Но это был брат его матери, он всю жизнь прожил в Санкт-Петербурге и работал главным инженером камвольного комбината. Рак легких, усугубленный профессиональным заболеванием и его привычкой выкуривать три пачки сигарет в день. Конечно, дядю спасти мы не могли, но премьеру понравилось наше отношение к тяжелобольным, и он решил построить нечто подобное и у себя. В прошлом году приезжали двое специалистов из Башкирии за опытом, жили у нас три дня. Если вы приедете вдвоем, то я скажу, что вы приехали именно из Башкирии. Выдам вас за врачей. И тогда вы сможете разговаривать со всеми, с кем посчитаете нужным. Мне поверят...

— Завтра вечером мы приедем, — решил Дронго, — скорый поезд идет в Санкт-Петербург чуть больше четырех часов.

— Я пришлю за вами свою машину прямо на вокзал, — предложил Федор Николаевич, — водителя зовут Дима, Дмитрий. Он вас встретит.

— Это будет очень любезно с вашей стороны. Поезд приходит в районе пяти. На вокзальную суету прибавим минут десять-пятнадцать. И еще регистрация в отеле, хотя мы забронируем для себя номера в центре, недалеко от Московского вокзала. До вас ехать полтора часа. Значит, примерно в семь вечера мы будем у вас. К этому времени, я думаю, ваш заместитель уже покинет вверенное вам учреждение.

— Обязательно, — кивнул Степанцев, — она никогда не задерживается больше положенного времени. Ведь за ней приезжает машина супруга.

ГЛАВА 4

Когда их гость ушел, Вейдеманис закрыл за ним дверь и вернулся в кабинет.

— Мы действительно завтра едем туда? — уточнил он.

— А ты сомневаешься? — спросил Дронго.

— Если ты готов туда ехать, то должен понимать, насколько сложным и тяжелым будет это расследование. Возможно, самым тяжелым в твоей жизни. Ты никогда не был в таких местах. Там горе и отчаяние постоянные составляющие жизни этих людей. Трагедия на трагедии, драма на драме. А мне не нравится твое состояние в последнее время. Ты считаешь, что выдержишь?

— Я думаю, что мне обязательно нужно поехать туда. Ради самого себя. Именно в таких местах начинаешь ценить чудо жизни, начинаешь понимать, какой бесценный дар ты получаешь в подарок и как бездарно ты его транжиришь. И еще... Я хотел просить тебя поехать туда вместе со мной.

— Мог бы и не просить. Я бы все равно не отпустил тебя одного. Как говорят в таких случаях, «у каждого Шерлока Холмса должен быть свой доктор Ватсон».

— Тогда начни писать рассказы о наших приключениях. Может, когда-нибудь их опубликуют, — пошутил Дронго.

— С удовольствием. Только сейчас не девятнадцатый век, и после первой же книги ты не сможешь проводить свои расследования. Журналисты и так сделали все, чтобы твое имя стало нарицательным.

— Это верно, — пробормотал Дронго, — какой может быть известный эксперт или аналитик, если про него знает каждая собака? Шерлок Холмс ходил бы по Лондону в сопровождении группы журналистов и зевак, которые не давали бы ему работать. Эркюль Пуаро должен был бы целый день раздавать автографы, а комиссар Мегрэ не сходить с телевизионных каналов. Нет, лучше пусть твои мемуары опубликуют лет через сто. Так будет спокойнее. Тогда и выяснится, чего мы все сто́им.

— Что будет через сто лет, никто из нас не знает. А чего ты сто́ишь я, знаю и сейчас, — заметил Эдгар, — если собрать вместе всех, кому ты помог, восстановил доброе имя, вернул имущество, заставил поверить в силу закона и вообще в человека, то их наберется, пожалуй, на большой поселок городского типа. А это самое главное в нашей профессии.

— Опять ненужный панегирик, — рассмеялся Дронго, — заканчиваем беседу. Ты заказываешь нам два билета, а я еду домой собирать вещи. И не забудь, что мы теперь с тобой два дипломированных врача из Башкирии. Встретимся завтра, на вокзале.

На следующий день они выехали из Москвы. Скорый поезд до Северной столицы шел немногим больше четырех часов. Раньше легендарная «Красная стрела» шла из одного города в другой в течение восьми-девяти часов, и по этому маршруту путешествовали многие известные люди — партийные работники, ученые, депутаты, режиссеры, актеры, туристы и просто гости обеих столиц, для которых передвижение в этом легендарном поезде было настоящим событием. Но со временем все менялось, и не всегда в худшую сторону. Поезда стали ходить гораздо быстрее, теперь они совершали свой маршрут за четыре часа. И хотя «Красная стрела» все еще оставалась легендой Российских железных дорог, все больше пассажиров предпочитали добираться до нужного места за четыре часа вместо девяти.

Поезд прибыл в Санкт-Петербург почти точно по расписанию. Захватив свои небольшие сумки, оба гостя вышли на перрон. У первого вагона их уже ждал высокий рыжеволосый молодой человек лет тридцати. Это и был водитель Дмитрий, которого прислал Степанцев. Забрав обе сумки, водитель отнес их к машине. Новый белый «Ниссан», на заднем сиденье которого они разместились, производил впечатление.

— У главного врача хосписа такая машина, — заметил Эдгар, выразительно взглянув на Дронго.

— Сейчас так принято, — ответил тот. Когда Дмитрий сел за руль и они начали осторожно выезжать со стоянки, водитель повернул голову:

— Куда едем?

— Сначала в отель, — попросил Дронго, — оформимся и сразу поедем к вам. На несколько минут, только оставим вещи.

— Какой отель? — уточнил водитель.

— «Европа». Он здесь неподалеку.

— Знаю, конечно, — ответил Дмитрий, — шикарный отель. Хорошо живут врачи у вас в Башкирии, если вы можете позволить себе такой дорогой отель.

— Мы не на свои деньги, а на командировочные. Нам заказали там номера, — соврал Дронго.

— Понятно. Если вас сам премьер-министр присылает... У вас там есть нефть, поэтому вам легче...

К отелю они подъехали через несколько минут. Процедура регистрации заняла тоже несколько минут. Дронго попросил поднять их сумки в номера. Затем взглянул на своего напарника.

— С отелем получилась накладка. Наша страсть к роскошным гостиницам может нас подвести. Двое командированных врачей живут в таком шикарном отеле. Ты видел, как он удивился.

— Не забудь о премьер-министре, — напомнил Эдгар, — к тому же мы для экономии живем в одном номере. Во всяком случае, так можно говорить.

— Лучше вообще обходить эту тему стороной, — посоветовал Дронго, — чтобы потом не поймали на вранье. Хотя водитель наверняка всем расскажет, где именно мы остановились. Нужно было подумать об этом заранее. Это наш небольшой прокол. Поехали быстрее.

Они уселись в машину. Дмитрий одобрительно кивнул, отъезжая от отеля.

— Наверно, шикарные номера? — спросил он.

— Нет, — ответил Дронго, — самый дешевый двухместный номер. Небольшая комната. Нам на другую денег бы не хватило.

— Это ясно. Чиновники везде экономят, — согласно кивнул водитель.

Дронго решил перевести разговор на другую тему.

— Федор Николаевич говорил, что у вас два водителя. А чем занимается второй? — уточнил он.

— Он работает с нашим завхозом, — пояснил Дмитрий.

— И тоже на «Ниссане»?

— Нет, — рассмеялся водитель, — он работает на микроавтобусе. У него обычный «Хундай». По утрам он привозит всех, кто едет из города, а вечером увозит. Но у некоторых есть свои машины, они сами добираются. А многие живут в Николаевске, и от нас отходит рейсовый автобус в город. Там недалеко, минут семь езды. В хорошую погоду можно дойти пешком минут за сорок — сорок пять. Многие так и делают. А водитель «Хундая» — Игорь Парнов — обычно работает с нашим завхозом.

— Значит, у некоторых есть свои машины? — уточнил Дронго.

— Только у шестерых, — ответил водитель, — если не считать Светлану Тимофеевну.

— Почему не считать? — сразу спросил Дронго.

— Она не ездит на своих машинах. Ее обычно привозит машина мужа. Она только с ним и ездит, хотя у них есть и собственные два автомобиля. Джип и «Ауди». Об этом все знают, но она приезжает только на служебной машине своего супруга. Хотя их водитель мне говорил, что на дачу она ездит сама за рулем своих машин. Но это нас не касается. А шестеро остальных приезжают на своих машинах. Врача Ирочку Зельдину привозит муж, он работает в Николаевске директором училища. Сурен Арамович Мирзоян приезжает на своей «Волге». Он у нас ведущий специалист. Люду привозит младший брат на своем «молоковозе», так мы называем его машину...

— Кто такая Люда? — поинтересовался Дронго.

— Наша санитарка, — объяснил Дмитрий. —

А еще у Савелия, нашего сторожа, есть старый «Москвич», а у Асхата «жигуленок» в хорошем состоянии. Но сторожам без машины никак нельзя, у них столько работы бывает.

— Пять, — подсчитал Дронго, — вы назвали пятерых, не считая Светланы Тимофеевны. А кто шестой?

— Людмила Гавриловна, — ответил водитель, — Людмила Гавриловна Суржикова, наш врач. Она тоже на своей «Мазде» приезжает. Я слышал, что ее хотели сделать заместителем, но потом передумали и к нам прислали Светлану Тимофеевну из города. А Людмила Гавриловна у нас давно работает, и все ее уважают за характер и выдержку.

— А ваш шеф кого хотел назначить? — уточнил Вейдеманис, нарушая молчание.

— Конечно, Людмилу Гавриловну. Она у нас самый лучший специалист. Вы бы видели, как ее наши больные ждут, как они ей верят. Только в наше время разве ценят настоящих специалистов, — философски заметил водитель, — вот поэтому к нам «варига» и прислали.

— Кого прислали? — переспросил Эдгар, скрывая улыбку.

— «Варига», — пояснил Дмитрий, — так все ее называют.

— Может, «варяга», — поправил его Вейдеманис.

— Верно. «Варягом». Только она не понимает,

что так нельзя было делать. Через головы людей перешагивать. Если у тебя муж большой начальник, то пусть он тебя куда-нибудь в другое место определяет, а не сюда, где люди живые мучаются.

Было понятно, что водитель разделяет точку зрения своего шефа на прибывшего заместителя. Водитель являл собой тот распространенный тип человека, который слышит все замечания и реплики своего шефа, умея делать из них нужные и правильные выводы. Поэтому он называл «варягом» нового заместителя и вместе со своим хозяином испытывал к ней антипатию. Это была обычная нелюбовь верного слуги к недругам его хозяина.

— Не любят ее в вашем коллективе? — поинтересовался Дронго.

— А где бы ее любили? — спросил Дмитрий. — Она у нас все равно чужой, пришлый человек. У нас своих кадров хватало. Того же Сурена Арамовича могли сделать заместителем. Или Людмилу Гавриловну. А вместо них прислали к нам эту молодую особу. Говорят, что она вообще специалист по глазам, а ее прислали к таким опытным онкологам, как наши врачи.

Он сказал это слово правильно, очевидно, много раз его слышал.

— Она, наверно, офтальмолог, — поправил его Дронго.

— Ну да, специалист по глазам. И не понимает,

что у нас люди много лет работают и на эту тяжелую работу всю свою жизнь положили.

Водитель был явно идеологически и практически подготовленным человеком. Дронго и Эдгар переглянулись, скрывая улыбки.

— Вы давно работаете с Федором Николаевичем? — спросил Вейдеманис.

— Уже пять лет. С тех пор как он перешел к нам главным врачом. Он ведь раньше в облздраве работал, а потом решил на самостоятельную работу перейти. Вернее, его выдвинули. Знали, что он мужик принципиальный, работящий и знающий. Вы бы видели, в каком состоянии наш хоспис был пять лет назад и каким сейчас стал. Он ведь деньги выбивать умеет и с людьми разговаривает как нужно. В общем, правильный мужик по всем статьям.

— У него есть семья?

— Конечно, есть. Жена, дочь, сын. Сыну уже под тридцать, он кандидатскую защитил. Специалист по физике. Вот только не женится никак, мать огорчается. Внуков хочет. А дочери только двадцать два, она заканчиват медицинский, хочет врачом быть, как отец.

— А жена не работает?

— Работает, конечно. Она у нас в архитектурном бюро ведущий специалист. Очень знающий человек. Это она помогла нам устроить сад вокруг нашего основного здания. Вы знаете, наши больные раньше не выходили гулять, а последние три года почти все, кто может ходить, гуляют в саду. Она там даже редкие деревья посадила, которые у нас вообще не цветут. Пригласили специалиста из ботанического сада. Честное слово, вы сами увидите. У вас в Башкирии, наверно, погода куда лучше, чем у нас.

— Возможно, — согласился Дронго, не собираясь вдаваться в излишние подробности, — ваши больные поступают обычно из города?

— У нас не совсем обычные больные, — пояснил словоохотливый водитель, — вы, наверно, знаете, что у нас не просто хоспис. Раньше это был закрытый санаторий ЦК КПСС для особых больных, которых уже нельзя было спасти, но и нельзя было показывать. Иначе все бы узнали самую большую тайну, что наши партийные чиновники болеют так же, как и обычные люди. А сейчас к нам поступают только те, кого согласится принять наш, как его правильно называют, совет... совет попечителей.

— Попечительский совет.

— Верно. Там заседают наши толстосумы, которые и являются нашими спонсорами. Вот почему у нас лежат все бывшие знаменитости. Один раз даже журналистка приезжала, хотела сделать репортаж, так ее наш завхоз очень деликатно так обматерил и она больше у нас не появлялась. Поняла все без дальнейших пояснений.

— А вы знаете всех больных?

— Всех, кто к нам прибывает. Мы всех знаем. Кем раньше были, чем занимались. Люди известные. Вот, например, Тамара Рудольфовна. Про нее ведь легенды до сих пор ходят, такая требовательная женщина была. Или недавно умершая Генриетта Андреевна. Говорят, что она даже члену Политбюро могла высказать свое мнение, когда была с ним не согласна. Представляете, какая это была женщина?

— Нам рассказали, что она сильно болела.

— Страдала, бедняжка. Ее уже перевели наверх, но она неожиданно умерла. Во сне. А потом из ее похорон цирк устроили. Наш Федор Николаевич хотел сделать все, как полагается. Оформить документы и передать все в городской морг, чтобы там тоже все оформили. Она ведь не обычный пациент была, на ее похороны даже из Москвы чиновники приехали. Только ему не дали все сделать нормально, начали торопить, даже обвинили, что он не дает ее по-человечески похоронить. Представляете, какие сволочи? Та самая журналистка, которую наш завхоз обматерил, написала статью, что Степанцев сводит счеты с умершей. Вот такие подлецы. И главное, что никто не знает, откуда эта журналистка такие сведения получила.

— Наверно, у нее в морге были свои люди, — предположил Дронго.

— При чем тут морг? Она от кого-то из наших все узнала. Это точно, у наших. Только у нас все порядочные люди работают, никто такую информацию ей слить не мог. Никто кроме пришлых. Мы все так думаем.

— А «пришлых» много?

— Только одна дамочка. Та самая, о которой я говорю. «Варяг». Вот она и могла все рассказать, чтобы, значит, Федора Николаевича подставить и такую свинью ему подложить. Даже поверить трудно, что такие люди бывают. У нас об этом все говорят, не стесняясь.

— А она сама что говорит?

— С нее как с гуся вода. Делает вид, что ничего не произошло. Покойницу, конечно, похоронили, а у нашего Федора Николаевича два дня сердце болело. Я видел, в каком он состоянии был. Сам не свой. Обидно даже.

— У этой пациентки родственники были?

— Сестра была. Сама Генриетта Андреевна ведь никогда замужем не была. Такая суровая старая дева. Я вам что скажу, женщине нельзя одной быть, без мужика. Сразу всякие болезни вылезают. И мужику одному нельзя быть, без женщины. У него простата от этого пухнет, если он один живет. Раз Бог придумал нас такими, то нужно, чтобы мы были вместе, — рассудительно сказал нахватавшийся медицинских познаний водитель.

— Очень важное замечание, — сдерживая смех,

согласился Дронго, — значит, у нее не было детей и близких?

— Сестра, говорю, была. Она замужем за каким-то известным человеком, говорят, он маршал был или генерал, точно не знаю. Вот она и приехала сюда из Москвы и целую кучу знакомых с собой привезла. Хоронили старуху торжественно, с оркестром, как генерала какого-нибудь. Хотя, если подумать, она генералом и была. Заместителем председателя Ленгорсовета столько лет работала. Но все говорят, злая была, сказывалось, что старая дева, людей не любила, никому спуску не давала. У нее водители увольнялись каждые три месяца, никто с ней работать не мог.

— Да, — согласился Дронго, — это очень важный показатель. Текучесть кадров среди водителей.

Дмитрий посмотрел в зеркало заднего обзора. Ему показалось, что в голосе приехавшего все-таки проскользнула ирония. Он обиженно засопел.

— Если человек не может сработаться с собственным водителем, то он не способен работать с другими людьми, — решил исправить ситуацию Дронго.

— Правильно, — сразу оживился Дмитрий, — я как раз об этом вам и говорю.

Он снова начал болтать, рассказывая о том, как важно найти подход к людям и какой молодец Степанцев, сумевший так правильно и верно найти подход к каждому из пациентов и сотрудников хосписа.

На часах было около семи, когда они наконец подъехали к воротам. Машина даже не стала тормозить, ворота открылись, очевидно, дежурный видел подходивший автомобиль. Дронго взглянул на камеру, установленную над воротами.

— Кто обычно открывает ворота? Врач или сторож? — спросил он, обращаясь к водителю.

— Сторож, конечно, — ответил Дмитрий, — он сидит у себя и видит на мониторе, кто подъезжает. У нас всю технику поставили, после того как сюда пришел Федор Николаевич. Вы посмотрите, какие у нас в палатах телевизоры стоят. Таких даже в гостиницах нет.

— Хоспис с особым обслуживанием, — негромко сказал Дронго, — кажется, у нас будет много интересных встреч.

Он не успел договорить, когда водитель резко затормозил.

— Ничего не понимаю, — сказал Дмитрий, — почему она еще не уехала. Это Светлана Тимофеевна, она никогда раньше не оставалась здесь до семи часов вечера. И ее машина тоже не уехала...

ГЛАВА 5

Они остановились рядом с двухэтажным зданием. Было заметно, что здание недавно покрасили. На клумбах вокруг цветы, дорожки аккуратно посыпаны гравием, бордюры свежевыкрашены. У крыльца дома стояли две красивые, ажурные скамейки, которые обычно ставят на театральных сценах и редко в парках массового отдыха, где их могут просто сломать. Из дома поспешила выйти моложавая женщина. Ей было под сорок. Было заметно, что она перекрашенная блондинка. Лицо миловидное, впечатление портил лишь слегка вдавленный нос, очевидно, она не избежала нынешних модных веяний и решилась на пластическую операцию. Она была в строгом сером костюме. Увидев подъехавших, она с нескрываемым радушием шагнула вперед, протягивая руку.

— Как хорошо, что вы приехали. Здравствуйте. Мы давно вас ждали.

Удивленный Дронго пожал ей руку. Кажется, Степанцев не очень хотел, чтобы его заместитель узнала об этом визите.

— Светлана Тимофеевна Клинкевич, — сообщила заместитель главного врача, — как мне к вам обращаться?

— Рашид Хабибулин, — ответил Дронго, вспомнив своего знакомого из Казани.

— Эдгар Вейдеманис, — представился его напарник своим настоящим именем. Ему было бы трудно выдавать себя за башкира или татарина с таким разрезом глаз и характерным латышским неистребимым акцентом. Поэтому он не стал ничего придумывать.

— Очень приятно, — весело сказала она, — к сожалению, Федора Николаевича вызвали в приемную губернатора, и он уехал три часа назад.

«Странно, — подумал Дронго, — почему он нам не позвонил. Он ведь мог предупредить нас о своем отсутствии. Мой номер телефона я ему дал».

— Он наверняка был уверен, что быстро вернется, — пояснила Клинкевич, — но его вызвали на важное совещание к губернатору, а там нельзя включать телефоны. И поэтому он не сумел вас предупредить. Хорошо, что я случайно узнала о вашем приезде и решила задержаться здесь, чтобы встретить вас.

Дронго видел изумленные глаза Дмитрия, который явно не ожидал в это время увидеть здесь Светлану Тимофеевну.

— Мы уже сообщили ему о нашем приезде, — решил сыграть он, — и думали, что он будет нас ждать здесь.

— Он ничего мне не сказал, — ядовито сообщила Клинкевич, — очевидно, запамятовал. В последнее время с ним подобное иногда случается. Что делать, возраст. А я случайно узнала, что его машина поехала за гостями, когда выяснилось, что его повез в город Сурен Арамович. Это наш врач. Разумеется, я решила остаться, чтобы принять наших гостей. Идемте ко мне в кабинет. Он на втором этаже, рядом с кабинетом главного врача. Зиночка, вы куда идете? — спросила она, обращаясь к высокой молодой женщине, которая, проходя мимо них, вежливо и тихо поздоровалась.

— Мне сегодня разрешили поменяться сменой, — пояснила Зина, — у сына температура поднялась, и я попросила Регину заменить меня. Она согласилась.

— В следующий раз согласовывайте подобные замены лично со мной, — ледяным тоном попросила Светлана Тимофеевна, — кажется, я заместитель главного врача и уполномочена решать именно эти вопросы.

— Мне Федор Николаевич разрешил. Я ему еще утром сказала...

— И не нужно спорить, — перебила ее Клинкевич. Она повернулась и показала гостям на лестни-
цу, ведущую наверх. — С этим персоналом всегда
так, — пожаловалась она, — этакие провинциалы.
Контингент служащих набирали без меня из Николаевска, вот поэтому они себя так и ведут. Думают,
что здесь провинциальная больница, можно уходить
когда угодно и приходить когда вздумается. Ваши
плащи вы можете повесить вот здесь, при входе. Мы
не разрешаем никому входить в здание в верхней
одежде. Сами понимаете, что у нас очень ослаблен-
ные пациенты.

Они повесили плащи в гардеробе, надели белые
халаты и пластиковые бахилы поверх своей обуви.
Повсюду здесь царила впечатляющая чистота. Они
поднялись на второй этаж. На халате Светланы Тимофеевны были вышиты ее инициалы.

— Нам говорили, что у вас есть лифт, — вспомнил Дронго.

— Есть. Но мы им не пользуемся. Только для
больных, — пояснила Светлана Тимофеевна, — он
весь пропах лекарствами и, простите меня, мочой.
Хотя мы строго следим за порядком и чистотой, но
этот запах просто неистребим. Поэтому мы предпо-
читаем подниматься на второй этаж по лестнице.

Они прошли по коридору, вошли в ее кабинет.
Довольно просторная комната. Стол, кожаные кресла, большой диван, книжные полки. Такой кабинет

мог бы быть у преуспевающего врача в самом Санкт-Петербурге. Очевидно, этот хоспис действительно был на особом положении.

— Садитесь, — показала им на кресла хозяйка кабинета, — чай или кофе?

— Нет, спасибо, — ответил Дронго, — мы хотели бы для начала осмотреть ваше здание. Познакомиться с вашими сотрудниками.

— Обязательно, — кивнула она, — простите, что спрашиваю, но кто вы по профессии? Я имею в виду, вы онколог или кардиолог? По какому профилю вы специализируетесь?

— Я психолог, — решил не совсем лгать Дронго. В конце концов, у него были два диплома о высшем образовании — юриста и психолога. — Я приехал перенимать ваш опыт. А это мой друг, он строитель. Мы собираемся построить такой же хоспис и у нас в Уфе.

— Правильное решение. Я слышала, что ваш премьер-министр лично курирует этот проект...

— Да, — кивнул Дронго, — поэтому нам так важно осмотреть все и уточнить всякие детали на месте.

— В прошлый раз к нами приезжали врачи, — улыбнулась она, — а сейчас психолог и строитель. Но это, наверно, правильно. Все начинается со строительства дома и правильного подхода к больным. А уже потом нужно думать о персонале, который вы набираете. Тем более что лечить этих пациентов все равно бесполезно, — жестоко сказала она, — можно только облегчить их страдания. Где вы остановились?

— В отеле, — сразу ответил Дронго, не называя гостиницы, — в Санкт-Петербурге. У нас еще есть дела в городе.

— Я понимаю, — кивнула Клинкевич, — в прошлый раз ваши командированные останавливались в гостинице Николаевска. Представляю, сколько клопов они привезли к себе на родину. Им наверняка там не понравилось.

— Зато понравилось у вас, — ввернул Дронго, — они рассказывали, как вы все удобно устроили и спланировали.

— У нас тяжелая работа, — поправила она волосы, — приходится соответствовать. Итак, что именно вас интересует?

— Как устроена работа вашего хосписа, планировка основного здания, специфика вашего медперсонала, — перечислил Дронго. И в этот момент зазвонил его мобильный телефон.

— Извините, — сказал он, доставая аппарат.

— Ничего ей не рассказывайте, — услышал он крик Степанцева, едва включил телефон, — меня вызвали на совещание, и я не мог вам перезвонить. Думал, что оно быстро закончится, а оно тянулось три часа. Дмитрий уже передал мне «эсэмэску», что она осталась в хосписе, чтобы встретиться с вами. Ничего ей не говорите...

Дронго взглянул на выражение лица хозяйки кабинета. Она, похоже, ни о чем не подозревала.

— Я обязательно передам ваши пожелания, — ответил он, — можете не беспокоиться.

— Ждите меня, я скоро приеду, — пообещал Степанцев, — уже еду.

— Конечно, — Дронго убрал аппарат.

— Позвонил помощник нашего премьер-министра, — сообщил Дронго, — спрашивает, как мы добрались, и просит передать привет от своего шефа.

— Ему тоже привет, — улыбнулась она, — мы с мужем были очарованы вашим премьером, когда гостили в прошлом году в Башкирии. И поэтому я решила сама принять вас. Можете не беспокоиться. Я дам поручение нашему заведующему хозяйством, и он покажет, как функционирует наше здание. А с вами может встретиться наш самый опытный врач — Алексей Георгиевич Мокрушкин. Он как раз сегодня на дежурстве.

Дронго взглянул на Вейдеманиса и отвел глаза. Странно, что она назвала Мокрушкина самым опытным врачом. Ведь водитель и Степанцев говорили о других врачах. Упоминался Сурен Арамович Мирзоев и Людмила Гавриловна Суржикова. Кажется, Степанцев говорил, что как раз Мокрушкин самый неопытный из всех врачей, работающих в хосписе.

— Сейчас я его позову, — неправильно поняла его долгое молчание Светлана Тимофеевна и подняла трубку телефона.

— Алексей Георгиевич, зайдите ко мне, — попросила она высоким фальцетом. — Он вам все расскажет, — пояснила Клинкевич, — вы думаете, что все у нас получилось так просто? Скольких усилий это нам стоило. Сколько нервов. Мой муж пробивал в облздраве все лекарства и технику для нашего хосписа. Об этом знает и ваш премьер-министр. Он тогда пошутил, что готов взять моего мужа министром здравоохранения Башкирии, но наш губернатор не согласится отдавать такого специалиста, как он.

— И ваш личный вклад наверняка был достаточно впечатляющим, — решил подыграть ей Дронго.

— Об этом вообще лучше не говорить. Вы же сами все понимаете. Наш главный врач — человек из прошлого времени, ему уже далеко за пятьдесят. В этом возрасте люди уходят на заслуженный отдых, а он обеими руками держится за это место. Казалось бы, зачем? Для чего? Из-за служебной машины и тех непонятных преференций, которые он может иметь? Нужно набраться мужества и уйти, уступая дорогу молодым.

Под «молодыми» она явно имела себя.

— Людям свойственно переоценивать свои силы и недооценивать силы других, — продолжил подыгрывать своей собеседнице Дронго.

— Вот-вот, вы правильно это сказали. Или эта гнусная история, которая случилась у нас несколько дней назад. Умерла известный общественный деятель, бывший депутат, первый заместитель председателя Ленгорсовета, уважаемая женщина. Умерла тихо, достойно, мирно, в своей постели. А наш главный врач решил устроить из этого некое шоу. Вы, наверно, читали об этом в газетах. Он отказался выдавать тело умершей, начал суетиться, отправил его в морг на вскрытие. Такое неуважение к памяти покойной. И все знали, что это попросту мелкая месть умершей за ее принципиальный характер. Она была требовательным человеком до последнего дня своей жизни. Конечно, нашему главному это не нравилось, и вот в результате такая мелкая месть. Если бы не позвонили из приемной губернатора, он бы сорвал похороны. Но, к счастью, все обошлось.

— А разве у вас не принято отправлять тела умерших на вскрытие? — поинтересовался Дронго.

— Конечно, нет, — отмахнулась Светлана Тимофеевна, — сами подумайте, зачем, для чего? У нас ведь не дом отдыха. Те, кто к нам попадает, проходят через многих врачей, через множество анализов, операций, процедур. И попадают к нам уже в крайне тяжелом состоянии, когда никаких надежд не остается. У нашей пациентки, о которой я говорю, был целый букет болезней. Из-за интенсивного облучения она потеряла волосы, ей удалили грудь. Достаточно было просто прочесть историю ее болезни. Когда наш врач Алексей Георгиевич обнаружил ее умершей, он даже не стал звонить Федору Николаевичу, чтобы не беспокоить его. Все и так было ясно. Но наш главный решил иначе... Вот почему я считаю, что нужно вовремя уходить.

В дверь кабинета постучали.

— Войдите! — крикнула Клинкевич.

В комнату вошел молодой мужчина лет тридцати. Редкие темные волосы, немного покатый череп. Глубоко сидящие глаза. Он был среднего роста, с длинной шеей и почти без плеч. Вдобавок ко всему он еще и сутулился. Белый халат сидел на нем так, словно был на несколько размеров больше.

— Добрый вечер, Алексей Георгиевич, — кивнула Клинкевич, — это наши гости из Башкирии, о которых я вам говорила. Насколько я знаю, вы сегодня остаетесь дежурным врачом. Можете все им показать и рассказать. Я уже рассказала им о нашумевших похоронах Боровковой...

Мокрушкин уныло кивнул.

— Покажите им все, — повторила Светлана Тимофеевна, — я думаю, что часа за два они управятся. А машина пусть подождет. Я думаю, что Дмитрий уже не понадобится Федору Николаевичу. Он, наверно, сразу же после совещания поедет домой и уже не вернется сюда.

— Большое спасибо за ваше гостеприимство.

— Надеюсь, что завтра мы с вами увидимся. — Она поднялась из-за стола, пожала каждому из гостей руки. — Алексей Георгиевич, — требовательно произнесла она, — в следующий раз, если Зинаида захочет меняться сменами, пусть она поставит в известность именно меня. А кто сегодня еще работает?

— Сама Клавдия Антоновна, — сообщил Мокрушкин.

— Вот так всегда, — развела руками Клинкевич, — про наших врачей, даже если они имеют ученые степени, не говорят «сама», а про нянечку или санитарку могут выдать такое. Это тоже уровень провинциального сознания. От него нужно избавляться, Алексей Георгиевич. Я вам об этом много раз говорила. Иначе вам будет трудно в дальнейшем.

Он согласно кивнул.

— До свидания, — сказала на прощание Клинкевич, — завтра в десять я буду на своем рабочем месте. Обращайтесь по всем вопросам, я готова вам помочь. И не забудьте передать наш привет вашему премьер-министру. Когда вы планируете вернуться?

— Через два дня, — ответил Дронго.

— Значит, мы еще увидимся. До свидания.

Они вышли из кабинета в сопровождении Мокрушкина. Вейдеманис выразительно посмотрел на Дронго.

— Инициативная женщина, — сказал он с необычным подтекстом, сделав ударение на первом слове.

— Да, — согласился Дронго, — сразу заметно, что она знает и любит свое дело. Особенно свою работу.

Эдгар увидел улыбку на лице Дронго и согласно кивнул.

— Алексей Георгиевич, — обратился Дронго к молодому врачу, — давайте сразу начнем с осмотра основного корпуса. Я думаю, что так будет правильно.

Светлана Тимофеевна вышла в коридор. Она была еще в белом халате. Кивнув на прощание, она прошла к лестнице, спустилась вниз.

— Кажется у нее напряженные отношения с главным врачом, — заметил Дронго, обращаясь к Мокрушкину.

Тот неопределенно пожал плечами. Ему явно не хотелось говорить на такую опасную тему. Дронго хотел еще что-то спросить, но тут увидел, что по коридору к ним идет высокая полная женщина в белом халате. Ее волосы были собраны в узел.

— Алексей Георгиевич, вы там нужны, — попросила она.

— Что случилось, Клавдия Антоновна? — спросил врач. — Это наши коллеги. Можете говорить при них.

— Она умерла, — сообщила женщина, — идемте быстрее.

ГЛАВА 6

Мокрушкин взглянул на гостей.

— Извините, — торопливо сказал он, — я должен идти. Если хотите, можете пройти со мной. Вы ведь врачи из Башкирии?

— Почти, — хмуро ответил Дронго.

Где-то за окнами завыли собаки. Сначала одна, потом вторая, третья. В этом было нечто мистическое. Гости вздрогнули.

— Вот так всегда, — недовольно сказала Клавдия Антоновна, — как только один из пациентов умирает, так они сразу затягивают свой хор. И все знают, что в этот момент кто-то умер. Прямо как сигнализация какая-то. И больные нервничают. Нужно наших собачек куда-то убрать.

Они прошли в предпоследнюю палату, Мокрушкин открыл дверь, входя первым. За ним вошла Клавдия Антоновна. Гости переглянулись. Дронго нахмурился и решительно вошел. Вейдеманис следом за ним. Впрочем, в том, что они увидели, не было ничего страшного или трагического. На кровати лежала изможденная женщина. На вид ей было много лет, не меньше шестидесяти. Она лежала так, словно заснула, и лицо ее было каким-то умиротворенными и спокойным, словно она сделала все, зачем пришла в этот мир. Если бы не ее худые, почти бесплотные руки и ввалившиеся щеки, можно было бы сказать, что эта старуха спокойно отошла в мир иной. Мокрушкин подошел к ней, проверил пульс, отключил аппаратуру, накрыл лицо одеялом и обернулся к гостям.

— Вот и все, — негромко сказал он, — она уже отмучилась. Санубар Идрисова, жена нашего руководителя коммунального хозяйства. Она сама решила переехать сюда. Обычно мусульмане не отдают своих больных в наш хоспис, вы об этом знаете лучше меня. Но она сама настаивала. У нее дочь в Америке живет с мужем, а сын давно в Австралии. А у мужа больное сердце, вот она и решила сама сюда переехать, чтобы никого не тревожить. Придется завтра звонить ее супругу, он как раз вчера навещал жену, они разговаривали.

— Сколько лет ей было? — спросил Дронго.

— Сорок восемь, — ответил Мокрушкин, — она в восемнадцать лет замуж вышла. Сыну уже двадцать девять, а дочери двадцать семь. И трое внуков от дочери. Но всех судьба раскидала по разным местам.

Дронго тяжело вздохнул. Он был уверен, что умершей не меньше шестидесяти.

— Вы можете ей что-то сказать, — неожиданно предложила Клавдия Антоновна.

— Что сказать? — не понял Дронго, повернувшись к санитарке. — О чем вы говорите?

— Она умерла, — спокойно пояснила пожилая женщина, — но она была мусульманкой. А вы приехали из Башкирии. Прочитайте молитву, если можете. А если не можете, то скажите несколько слов, ей наверняка было бы приятно.

— Да упокоит Господь ее душу, — произнес Дронго, взглянув на лежавшее под одеялом вытянутое тело.

— Спасибо, — кивнула Клавдия Антоновна, — вы можете идти. Алексей Георгиевич, вы сами заполните журнал?

— Да, конечно. — Они вышли из палаты.

— Вот и все, — негромко сказал Вейдеманис, — был человек, и нет человека. Все так просто и обыденно. Как будто в порядке вещей.

— У нас именно так, — согласился Мокрушкин, — это место, где люди уходят. Гораздо приятнее работать в родильном доме. Место, где появляются новые люди и радуются новой жизни. Но уверяю вас, что там тоже хватает своих трагедий. Простите, что мы начали наш обход именно с этого печального события, но так уж получилось. Что именно вас интересует?

— Все, — ответил Дронго, — как устроен ваш хоспис, сколько в нем пациентов. В каких условиях они живут. Как работают ваши врачи.

— Пойдемте, я все покажу. У нас как раз сейчас ужин заканчивается.

— Больные ходят в столовую?

— Мы не говорим больные, мы называем их пациентами. Обычно в столовую многие не ходят. Не хотят есть вместе со всеми. Кто хочет, может пройти, столовая в конце коридора на первом, рядом с кухней. Остальным нянечки носят еду прямо в палаты. На втором этаже у нас реанимационные. Сейчас там пять человек. Уже четыре, — поправился Мокрушкин, — остальные девять внизу. Кабинеты врачей тоже внизу, а руководство на втором этаже. Там же у нас операционная и рентген-кабинет.

— Вы делаете операции?

— Очень редко. У нас хоспис, а не клиническая больница. Но если есть необходимость, то, разумеется, все делаем сами. У нас работают прекрасные специалисты. Сурен Арамович Мирзоян и Людмила Гавриловна Суржикова.

— А ваш руководитель — Светлана Тимофеевна сказала, что самый лучший и опытный врач именно вы, — возразил Дронго, испытующе глядя на своего собеседника.

Тот вспыхнул, покраснел и отвернулся.

— Если она так считает... — пробормотал он, — впрочем, я не знаю. Не уверен.

— Вы обещали показать нам ваше основное здание, — напомнил ему Дронго.

— Конечно, покажу. Пойдемте. Только учтите, что в другие реанимационные палаты входить нельзя. Только с разрешения главного врача или его заместителя.

— Мы туда и не собираемся входить. Давайте начнем с первого этажа, — предложил Дронго.

Они спустились вниз, прошли в столовую. Здесь сидели двое мужчин и одна женщина. Один из мужчин был в спортивном костюме, другой в голубом халате. Женщина тоже была в таком же халате. При их появлении все трое подняли головы. У них в глазах есть нечто неуловимо схожее, подумал Дронго. Может, это ожидание скорой смерти делало их глаза такими похожими друг на друга.

— Это наши гости из Башкирии, — представил своих спутников Мокрушкин, — а это наши пациенты. Арсений Ильич Угрюмов, — показал он на мужчину в халате. Тот кивнул головой, мрачно разглядывая вошедших. — Елена Геннадьевна Ярушкина. — Женщина с любопытством посмотрела на мужчин и улыбнулась. — И Константин Игнатьевич Мишенин. — Мужчина в спортивном костюме кивнул им в знак приветствия. — Остальные в своих палатах, — пояснил Мокрушкин.

Дронго прошел мимо двух больших столов. За ними могли разместиться человек двадцать или двадцать пять. Но ужинали здесь только трое.

— Почему вы не спрашиваете, как нас кормят? — услышал он голос Ярушкиной и обернулся к ней.

— Разве я должен спрашивать?

— Проверяющие всегда спрашивают, как нас кормят, — сообщила она. Ей явно хотелось поговорить.

— Я не проверяющий, — улыбнулся Дронго, — я скорее по обмену опытом. Мы хотим открыть в Башкирии такой же хоспис, как у вас.

— Разве у мусульман есть хосписы? — не унималась Ярушкина, — Они, по-моему, держатся за своих стариков до конца. Хотя наша Идрисова была здесь, упокой Господь ее душу.

— Откуда вы знаете, что она умерла? — изумился Дронго.

— Собаки, — пояснила Ярушкина, — они всегда воют, когда кто-то умирает. А из наших самой плохой была Идрисова. Господин Мокрушкин, а почему вы молчите? Что случилось с Идрисовой? Или собаки выли просто на луну?

У этой женщины было своеобразное чувство юмора.

— Она уснула, — коротко ответил Мокрушкин.

— Какой изящный термин — «уснула», — не унималась Ярушкина. — Хотя древние греки считали, что сон — это почти как временная смерть. Но им явно не приходило в голову ваше определение.

— Как вы себя чувствуете? — спросил Мокрушкин.

— Пока не спешу на ваш второй этаж, — пошутила Ярушкина.

В зал вошла женщина в брючном костюме. Ее волосы были аккуратно уложены, макияж нанесен. Было заметно, что ей много лет, но она гордо держала спину и входила в зал той плавной походкой, которая отличает бывших балерин. Сразу бросались в глаза плавные движения ее рук и длинная шея.

— Марина Леонидовна, зачем вы поднялись? — взмахнул руками Мокрушкин. — Мы же договаривались, что сегодня вы будете отдыхать.

— Я пока нахожусь в здравом уме и в хорошей памяти, — возразила женщина, — и не собираюсь ужинать в своей палате. Я решила составить Елене Геннадьевне компанию, чтобы ей не было так скучно в обществе наших мужчин.

— Вы могли бы составить ей компанию завтра, — возразил Мокрушкин, — но все равно. Садитесь. Я потом зайду и еще раз осмотрю вас. Но учтите, что вам ничего нельзя, кроме обычной воды. Даже чай вам сейчас противопоказан.

— Не нужно при посторонних мужчинах говорить мне подобные гадости, — победно изрекла женщина, усаживаясь на стул рядом с Ярушкиной, — лучше представьте меня гостям.

— Марина Леонидовна Шаблинская, — представил ее Мокрушкин, — народная артистка республики, лауреат Государственной премии, бывшая прима Мариинского театра.

Она поднялась и величественным движением протянула руку. Дронго, не колеблясь ни секунды, подошел и поцеловал ее сухую ладонь. Она даже вздрогнула. Выносившая с кухни поднос кухарка уронила его от неожиданности, и посуда загремела по полу. Ярушкина на миг замерла, затем захлопала в ладоши и закричала:

— Ой, как хорошо! Господи, как хорошо!

Мишенин одобрительно кивнул головой. Даже Угрюмов улыбнулся. Мокрушкин развел руками.

— Вы просто покорили их сердца, — признался он.

— Не знаю вашего имени, милостивый сударь, — церемонно произнесла Шаблинская, — но смею вам сказать, что вы — настоящий мужчина. На все времена.

Они вышли из столовой, сопровождаемые восхищенными взглядами женщин. Вейдеманис одобрительно кивнул.

— Ты стал героем этого хосписа, — тихо произнес он.

— Мне просто стало жаль эту одинокую и обреченную женщину, — признался Дронго.

Они прошли к палатам. Мокрушкин постучал и открыл дверь в первую из них.

— Не входите, — предупредил он, — сюда лучше не входить.

Через минуту он вышел.

— Разве на первом есть реанимационные палаты? — удивился Вейдеманис.

— Нет. Там наша пациентка — Антонина Кравчук. У нее рак кожи. Необратимые изменения, в том числе и на лице. Она никого к себе не пускает, кроме врачей и своей соседки — Эльзы Витицкой. Мы стараемся никого туда не пускать.

Дронго кивнул, уже ничего не спрашивая. В другую палату Мокрушкин вошел, даже не постучав, приглашая за собой гостей. Здесь на кровати лежал мощный, крупный мужчина. Он был еще молод и красив. Болезненные изменения еще не затронули его тела, ведь основная болезнь была у него в голове. Он лежал на кровати, заложив могучие руки за голову и глядя в потолок. В последние дни он все время так и лежал.

— Радомир, — негромко позвал его Мокрушкин, — ты меня слышишь?

Гигант даже не пошевелился.

— Радомир! — громче позвал Мокрушкин.

Пациент наконец оторвался от углубленного созерцания потолка и взглянул на врача.

— Я вас слышу, — сказал он.

— Как ты себя чувствуешь?

— Нормально.

— Ничего не болит?

— Пока нет. Если заболит, я вас сразу позову. Вы знаете, что мои приступы боли начинаются после полуночи.

— Мы можем сделать тебе укол до полуночи.

— Зачем? Мне и так мало осталось. Лучше продержусь сколько смогу. Хотя бы еще немного. Почувствую, что живу.

В таких случаях принято говорить, что жить человек будет долго, но Мокрушкин не сказал этих слов. Это было бы нечестно по отношению к тяжелобольному пациенту, который со дня на день мог навсегда потерять сознание, превратясь всего лишь в бесформенный кусок мяса. Они вышли из палаты.

— Даже не знаю, что лучше, — признался Эдгар, — умереть, ничего не понимая и не чувствуя, потеряв сознание. Или в полной памяти и осознавая, что происходит.

— Они не выбирают, — отозвался Мокрушкин, — и это, наверно, правильно. Мы ведь тоже не знаем, что именно нас ждет. У каждого свой конец, который ему уготован, своя судьба.

— Шопенгауэр определял судьбу всего лишь как

совокупность учиненных нами глупостей, — возразил Дронго, — возможно, с подобной генетической болезнью его отцу или деду нельзя было иметь детей.

— Вот поэтому он и умирает в одиночестве, — пояснил Мокрушкин, — он боялся, что его болезнь перейдет по наследству к его детям, и поэтому бросил любимую жену, заставив ее сделать аборт, когда она ждала ребенка. Его можно понять, но она не захотела больше жить с ним и ушла от него. Ее тоже можно понять.

— В таких случаях лучше не выступать судьей, — согласился Дронго.

Они прошли к следующей палате. Мокрушкин снова постучал.

— Войдите, — услышали они старческий голос.

Все трое вошли в палату. На кровати лежала пожилая женщина. Она была похожа на смятый одуванчик, белые редкие волосы, мягкая улыбка, почти бесцветные когда-то зеленые глаза. Увидев вошедших, она почти счастливо улыбнулась.

— Добрый вечер, Алеша, — сказала она врачу, — как я рада, что сегодня именно твое дежурство.

— Спасибо. Я тоже рад, Казимира Станиславовна. Как вы себя чувствуете?

— Хорошо, — ответила она, улыбаясь, — почти ничего не болит. И еще вчера по телевизору показывали такую интересную передачу. Я, правда, сделала звук тише, чтобы не мешать своей соседке.

— И все равно помешали мне спать, — громко произнесла другая женщина. Она лежала на кровати, стоявшей справа от двери, лицом к стене и спиной к вошедшим, даже не повернувшись, когда они вошли.

— Тамара Рудольфовна, — укоризненно сказал Мокрушкин, — у нас гости.

— А мне все равно, — ответила она, все так же не поворачиваясь лицом, — здесь не театр и не салон, чтобы принимать гостей. Здесь место, где умирают тяжелобольные люди, и не нужно сюда никого приводить. Тем более каких-то гостей.

— Это наши друзья. Врачи из Башкирии, — пояснил Мокрушкин.

— Вот пусть они и возвращаются в свою... Башкирию, — ответила женщина, но так и не повернулась.

Казимира Станиславовна испуганно посмотрела на Мокрушкина.

— Меня лучше перевести в другую палату, — тихо попросила она, — моя соседка все время недовольна. И когда я включаю телевизор, и даже когда не включаю.

— Я тоже так думаю, — согласился Мокрушкин, — завтра приедет Федор Николаевич, и мы все уладим.

— О чем вы шепчетесь? — спросила Тамара Рудольфовна, наконец поворачиваясь к ним лицом.

У нее было злое лицо пожилой и властной женщины. Белые волосы, мешки под глазами, на лице характерные пятна пигментации. Было очевидно, что болезнь крови доставляла ей еще и нравственные муки.

— Опять на меня жалуетесь? — поинтересовалась она.

— Нет-нет, — испуганно прошептала ее соседка, — ни в коем случае.

— Знаю, что жалуетесь. Не лгите. Все знаю. И характер у меня поганый, тоже знаю. И вообще вы правы. Вам лучше завтра поменять палату. У нас с вами несовместимость. Разные группы крови, если мою кровь еще можно причислить к какой-то группе вообще.

Она взглянула на вошедших.

— Это вы прибыли из Башкирии? Какой такой хоспис в вашей мусульманской республике? Зачем вы врете? Устроите дом для несчастных больных, за которыми не хотят смотреть их дети? У вас ведь стариков уважают до смерти. Ходят за ними, возятся, убирают, терпят их глупости. Это у нас сразу избавляются от таких мерзких тварей, как мы.

Мокрушкин сокрушенно покачал головой.

— Выйдите, пожалуйста, — попросил он, — я останусь с ними.

— Да, конечно. —Дронго и Вейдеманис поспешили выйти из палаты, сопровождаемые истерическими криками Тамары Рудольфовны.

— Знаешь, что я тебе скажу, — неожиданно произнес Вейдеманис, — концентрация страданий в таком месте превосходит любое человеческое воображение. Я даже не представляю, с чем это можно сравнить. Даже у осужденных на смерть есть какой-то небольшой шанс. А здесь... — Он махнул рукой.

В этот момент опять позвонил мобильный телефон Дронго. Он достал аппарат.

— Я вас слушаю, — сказал он.

СОДЕРЖАНИЕ

Литературно-художественное издание

СОВРЕМЕННЫЙ РУССКИЙ ШПИОНСКИЙ РОМАН

Абдуллаев Чингиз Акифович

ГОРОД ЗАБЛУДШИХ ДУШ

Ответственный редактор *А. Дышев*
Редактор *Г. Калашников*
Художественный редактор *А. Сауков*
Технический редактор *О. Куликова*
Компьютерная верстка *С. Кладов*
Корректор *М. Гиммельман*

В оформлении обложки использована иллюстрация *В. Петелина*

ООО «Издательство «Эксмо»
127299, Москва, ул. Клары Цеткин, д. 18/5. Тел. 411-68-86, 956-39-21.
Home page: **www.eksmo.ru** E-mail: **info@eksmo.ru**

Подписано в печать 16.06.2010.
Формат 84×108 $^1/_{32}$. Гарнитура «Петербург».
Печать офсетная. Усл. печ. л. 20,16.
Тираж 11 000 экз. Заказ № 7623

Отпечатано с электронных носителей издательства.
ОАО "Тверской полиграфический комбинат". 170024, г. Тверь, пр-т Ленина, 5.
Телефон: (4822) 44-52-03, 44-50-34, Телефон/факс: (4822)44-42-15
Home page - www.tverpk.ru Электронная почта (E-mail) - sales@tverpk.ru

ISBN 978-5-699-43140-3